1271 南宋 / 1368 元 / 1662 明 / 1911 中華民国 / 1949 中華人民共和国

チンギス・ハーンによるモンゴル統一(一二〇六)
モンゴル、国号を元とし、首都を大都(北京)に定める(一二七一)
マルコ・ポーロ、元に来朝(一二七五)
鄭和の大航海(一四〇五～一四三三)
南京から北京に遷都(一四二一)
ヌルハチ、後金国を建国(一六一六)
ホンタイジ(位一六二六～四三)
国号を清とする(一六三六)
順治帝(位一六四三～六一)
康熙帝(位一六六一～一七二二)
『康熙字典』完成(一七一六)
雍正帝(位一七二二～三五)
乾隆帝(位一七三五～九五)
『四庫全書』完成(一七八二)
嘉慶帝(位一七九六～一八二〇)
道光帝(位一八二〇～五〇)
アヘン戦争(一八四〇～四二)
帝(位一八五〇～六一)
天国の乱(一八五一～六四)
ー号事件(一八五六)
帝(位一八六一～七四)
帝(位一八七四～一九〇八)
戦争(一八九四～九五)
団の乱(一九〇〇～一九〇一)
廃止(一九〇五)
帝(位一九〇八～一二)
命(一九一一)
五・四運動(一九一九)
日中戦争(一九三七～四五)
日中国交回復(一九七二)

李氏「瀟湘臥遊図巻」(十二世紀)
沈子蕃「桃鳩図緙絲軸」(十二世紀)
李迪「鶏雛待飼図」「紅白芙蓉図」(一一九七)
劉松年「羅漢図」(一二〇七)
鄭思肖(一二四一～一三一八)「墨蘭図巻」(一三〇六)
趙孟頫(一二五四～一三二二)「嵆康絶交書巻」(一三一九)
雲龍堆朱合子(十五世紀)
董其昌(一五五五～一六三六)「雑書冊」(十七世紀)
張択端款「清明上河図巻」(十七世紀)
歙渓蒼玉硯(十七世紀)
「博古幽思軸」(十八世紀)
「乾隆帝像」(一七三六)
封岐「山水人物牙彫小景」(一七三八)
金昆・陳枚・孫祜・丁観鵬・程志道・呉桂「慶豊図巻」(一七四〇)
『石渠宝笈』(一七四五)
『三希堂法帖』(一七五〇)
『西清古鑑』(一七五五)
伝郎世寧(一六八八～一七六六)「閻相師像」(一七六〇)
『欽定重刻淳化閣帖』(一七六九)
七宝仏塔(一七七四)
乾隆帝(一七一一～九九)「臨董其昌臨柳公権書蘭亭詩巻」(十八世紀)
『蘭亭八柱帖』(一七七九)
『秘殿珠林続編』(一七九三)
御製続纂秘殿珠林石渠宝笈玉冊(一七九三)
雲龍緙絲藍色朝袍(十八世紀)
花瓶刺繍浅緑袍(十八世紀)
雲龍透彫粉彩冠架(十八世紀)
琺瑯彩黄地芝蘭碗(十八世紀)
百子睟彫彩漆長方盤(十八世紀)
山水人物犀角杯(十八世紀)
龍涛七宝文具(十八世紀)
蓮池花盆形花蝶七宝飾時計(十八世紀)
瑪瑙石榴(十八世紀)
色ガラス燭台(十八世紀)
大威徳金剛(ヤマーンタカ)像(十八世紀)
大威徳金剛(ヤマーンタカ)画像(十八世紀)
「乾隆帝文殊菩薩画像」(十八世紀)
「乾隆八旬万寿慶典図巻」(一七九七)
慶寛「光緒大婚図冊」(十九世紀)
水仙金寿刺繍浅紫氅衣(十九世紀)
竹蝶刺繍菫色花盆底鞋(十九世紀)
円明園海晏堂(十九世紀)

『新古今和歌集』撰進(一二〇五)
承久の乱(一二二一)
元寇(一二七四・一二八一)
禅僧の日中交流盛んに
日明貿易
応仁の乱(一四六七～七七)
ポルトガル人、種子島に来航(一五四二？／一五四三？)
関ケ原の戦い(一六〇〇)
鎖国の完成(一六三九)
黄檗僧の来日
享保の改革(一七一六)
天明の大飢饉(一七八二～八七)
寛政の改革(一七九〇)
ペリー、浦賀に来航(一八五三)
明治維新(一八六八)
西南戦争(一八七七)
日露戦争(一九〇四～〇五)
サンフランシスコ講和条約(一九五一)

1185 鎌倉 / 1333 南北朝 / 1392 室町 / 1573 安土桃山 / 1603 江戸 / 1868 明治 / 1912 大正 / 1926 昭和

もっと知りたい

中国の美術

富田淳 監修・著

東京美術

はじめに

本書は、中国美術の作品を、かつて紫禁城に収蔵されていた品々と定め、これらを清朝第六代の皇帝であった乾隆帝（在位一七三五～九五）の目線をふまえて語ろうとするものである。

康熙帝が中国の内地を統一し、雍正帝が国内の支配秩序を完成し、乾隆帝が最大の版図を獲得するまでの時期は、清朝の盛時と称えられている。この時期には、飴と鞭の政策がとられ、数々の文化事業が推進される一方、厳しく思想を統制する「文字の獄」が行なわれた。乾隆帝は、祖父と父が築いた盤石の礎に立って、清朝全盛期の頂点に君臨した。

乾隆帝の代表的な文化事業の一つに、中国の歴史において最大の規模を誇る叢書『四庫全書』がある。一七七二年から十年の歳月を費やし、当時収集しうる重要な書籍を集め、経（経書）・史（史書）・子（諸子）・集（文学書）の四部に分類し、学識者を総動員して校訂を加え、善本を作って浄書させた。その際、清朝に都合の悪い書籍は、あるいは改ざんし、あるいは禁書として、淘汰した。現代の我々は、乾隆帝の色眼鏡を通して、中国の歴史に対峙している。

紫禁城に収蔵される多くの品々は、古の礼器と士大夫の愛玩品に大別されるが、それらの多くに、乾隆帝の痕跡が認められる。しかし、「内聖外王」たらんと努めた天子の精神世界に肉迫するのは、至難の業である。ここでは、『四庫全書』に収録される乾隆帝の官修事業や、御用工房として機能した「造弁処」の档案（公文書）から、乾隆帝の眼差しにほんの少し触れたうえで、個々の作品をご紹介したい。

富田　淳

もくじ

はじめに…2

序章
乾隆帝とはどのような人物か…4
清　最後の王朝…6
北京と紫禁城…8

第1章　皇帝の権威
皇帝の儀式…12
祭天と封禅…17
皇帝のコレクション―青銅器・玉器…18
青銅器の不思議な名前…20
饕餮…22
西周から春秋へ…23
巨大化する青銅楽器…24
漢の銅器…25
玉器…26

第2章　皇帝が愛でた美術
乾隆帝の書画鑑蔵と編纂物…28
皇帝のコレクション　書跡…30
鑑蔵印と題跋…33
蘭亭八柱…37
乾隆内府の顔真卿コレクション…41
文人と書の料紙…47
趙孟頫書法と乾隆帝…51
董其昌書法と乾隆帝…53
皇帝のコレクション　絵画…54
皇帝と西域の名馬…55
臥遊…57
四美具…58
コラム　乾隆帝の秘蔵絵画と近代日本…59
日本人の愛した李迪…60
三友と四君子…63
都市風俗図巻の歴史…65
コラム　乾隆帝と歴代書画…66
皇帝のコレクション　工芸…67
彫漆…68

第3章　紫禁城の生活
紫禁城の意匠…72
皇帝の象徴…75
文人趣味…77
造弁処…84

第4章　多文化融合と国際交流
中国における多文化融合…86
チベット仏教…88
郎世寧の活躍…93

中国の美術をもっと知るためのブックガイド…94
掲載作品索引…95

［凡例］
・作品情報は、原則として作者名、作品名、材質技法、法量、制作年／制作年代、所蔵者の順で記しています。
・作者名、作品名称は、所蔵者の定めたものや慣例を参考にし、著者の判断に基づいています。
・作者、法量、制作年代などが不詳の場合は情報を省略しました。

乾隆帝とはどのような人物か

乾隆帝は、康熙五十年（一七一一）八月十三日、雍正帝の第四子として生まれた。名は弘暦、廟号は高宗。幼少より祖父の康熙帝から英才教育を受け、雍正十三年（一七三五）、父の崩御にともない二十五歳で即位し、翌年を乾隆元年と定めた。

乾隆六十年（一七九五）、在位が六十年に達すると、祖父の康熙六十一年を越えぬよう嘉慶帝に譲位し、太上皇帝となった。しかし、嘉慶四年（一七九九）正月三日、八十九歳の天命を全うするまで、政権を手放すことはなかった。

古稀を迎えて「猶日孜孜」、傘寿を迎えても「自彊不息」を銘記し、勉め励んで懈怠することのなかった乾隆帝は、生涯にわたって「敬天、法祖、勤政、愛民」を標榜した、稀代の英邁な天子であった。

乾隆帝の偉大な功績の一つに、十度にわたる外征を行なって、未曽有の広大な領土を獲得した武功があげられる。乾隆五十七年（一七九二）、八十二歳の乾隆帝は四十五年間にわたる外政を十全武功と称し、「御製十全記」にまとめた。満・蒙・漢・蔵・回の五族からなる世界帝国を体現した乾隆帝の功績は、特筆に値する。その一方で乾隆帝は、武力統治の限界を熟知していたかのように、数々の文治政策を行なった。

『四庫全書』に収録される乾隆帝の官修事業は、経・史・子・集の四部の中でも、史部が圧倒的に多く、なかでも政書が突出している。順治・康熙・雍正の三帝は儒学を崇拝し、礼をもって世を治めてきた。乾隆帝はこれを受け継ぎ、大規模な礼書の編纂を行ない、礼制を集大成した。

情を雅致に寄せ、歴代の文人たちに向き合うことも、天子には必要であった。一七四四年を目途に編纂された『秘殿珠林』や『石渠宝笈』（28頁）は、清朝の百周年を記念した一大事業として企画された。生涯に四万首の詩を詠じた乾隆帝は、書画の名品にもその痕跡をとどめている。

書画のみならず、あらゆる重要な書籍を所有することは、歴代の歴史と文化を所有することでもあった。しかも、乾隆帝は思想を統制し、清朝に不利な書籍を淘汰することで、文化や歴史の姿をも変えてしまった。

少数民族（夷狄）に過ぎない清王朝にとって、中華文明が世界の中心に位置すると考える漢民族の「華夷秩序」を克服することは、最大の問題であった。

乾隆帝は、礼制や宗教によって天下を治め、さらに名品の収集と編纂事業によって中華の文化と歴史を掌中に収めた。かくして乾隆帝は、中華の文明を有する者こそが、中華民族であるとする「大一統」の思想を実現し、華夷秩序の問題を解決したのである。紫禁城の収蔵品には、乾隆帝の深遠な思惑が、そこここに残されている。

乾隆帝像
絹本着色　242.2×179.0cm
清時代・乾隆元年（1736）
故宮博物院蔵

清朝の最大版図（十八世紀中頃）

ロシア帝国
ネルチンスク
ジュンガル
庫倫（ウランバートル）
愛琿（アイグン）
迪化（ウルムチ）
ハルハ
内蒙古
盛京（瀋陽）
喀什噶爾（カシュガル）
新疆
青海
北京
日本
黄河
西蔵（チベット）
開封
西安
南京
蘇州
上海
ラサ
成都
長江
景徳鎮
杭州
琉球
ビルマ
雲南
ムガル帝国
広州
ベンガル
香港
越南
シャム
清朝の領域
藩部の境界線

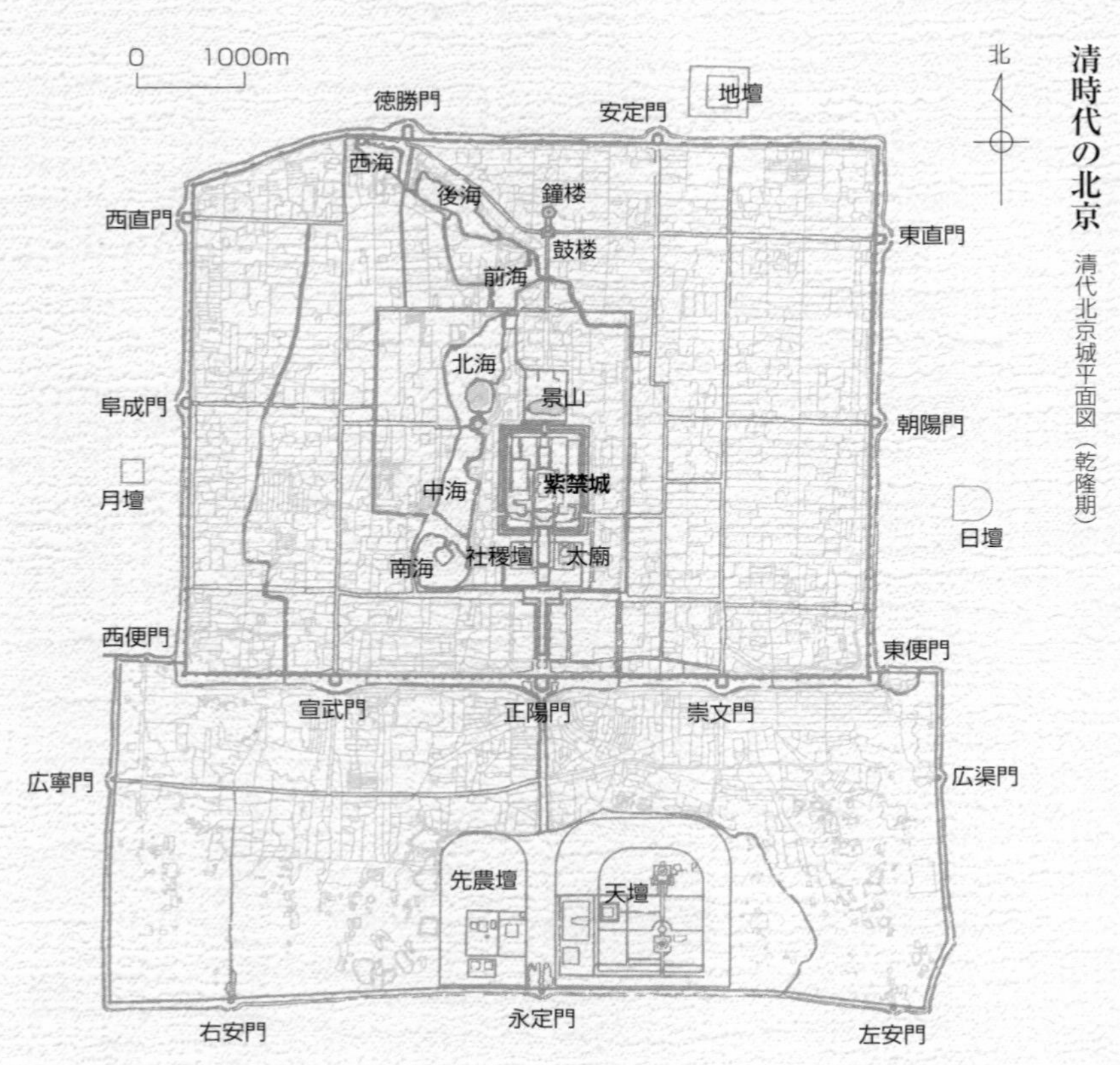

清時代の北京

清代北京城平面図（乾隆期）

清　最後の王朝

中国の王朝の歴史は古い。四千年にも及ぶ歴史のなかで幾つもの王朝が興亡し、各王朝を運営した民族も常に同じではなかった。王朝の領域は統合と分裂を繰り返し、宮廷の所在地も変遷を重ねた。このように中国王朝は定まった状態を留めず変化し続けたにもかかわらず、そこには継続性や伝統があるように見なされてきた。その棹尾を飾る王朝が清である。

中国全土を最初に統一した王朝は秦であるが、その統治は二十年にも足らず、秦が滅びると漢が興った。漢の統治はのべ四百年以上にわたり、ここに中国全土の統一は安定した。そして漢の領域の人々は共同体意識によって結ばれ、漢族が誕生した。漢族は中国の主要民族となったが、なおも内外には他民族が暮らしており、時には北方の草原の遊牧民族が漢族の拠点である中原を脅かした。

満洲族の王朝・清

清は漢族ではなく、満洲族が興した王朝である。満洲族は、もとを女真族といい、現在の中国の東北部にそびえる長白山から流れ出る松花江の流域が故地であった。女真族は農業牧畜や狩猟漁労に基づく生活を営んで部族社会を形成していたが、北宋時代の末期に当たる頃になると、金を興して遼や宋を倒して中国北部を支配したものの、やがて蒙古族が興した元によって滅ぼされた。その後、明時代の末期に当たる頃になると、女真族の愛新覚羅氏出身の努爾哈赤が女真族をまとめて、君主である汗に即位して、改めて金を興した。先の金と区別して、後金という。後金は、女真族の狩猟組織を発展させた八旗という軍隊を制定し、女真という民族名を満洲へと改称し、草原と中原を隔てる万里長城の北側において満洲族・蒙古族・漢族を統一すると、元の皇帝の玉璽を得たのを機として、国号を金から清へと改称し、金国汗は大清皇帝となった。これはモンゴル帝国を継承したという認識であった。そして清は明を攻略し、長城の東端にある山海関を越えて北京に入り、ついに明に交代した。

満洲族は、漢族から見れば少数異民族であり、両民族は政治や文化の程度も違えば、清の政府では満洲族と漢族の官人を同数に揃えて統治を行ない、公文書や儀式書は満洲字と漢字で併記された。また満洲族は、弁髪という髪型を編んで、纓帽や箭衣という牧畜や狩猟の用途に由来する服装をして、堂子という神殿で薩満教を信仰する習俗を守っており、その髪型や服装などを漢族にも強要しながらも、堂子での祭祀には漢族を参加させなかった。

清朝の盛衰

清が入関してのちには、康熙帝、雍正帝、乾隆帝といった名君が続いた。康熙・雍正の治世には緊縮財政が行き届いて国庫に余剰が生じた。その財産を受け継いだ乾隆帝は、六十年間にわたる長い治世の間に盛大な事業を行ない、質実よりも華美を求める豪奢な生活を送った。その清も乾隆・嘉慶の絶頂期を極めたのち、ついに黄昏を迎えた。官界や軍隊は腐敗し、財政は疲弊し、国内では内乱が起こり、国外からは列強が侵略して、王朝は衰退した。中国史の伝統からすれば、天命が革まり王朝の交代を促す革命となるはずであったが、西洋の市民革命が実現した共和思想に導かれて起こった辛亥革命は王朝の終焉を促し、最後の皇帝として宣統帝は退位した。ここに皇帝と王朝は過去のものとなり、紫禁城は故宮となった。

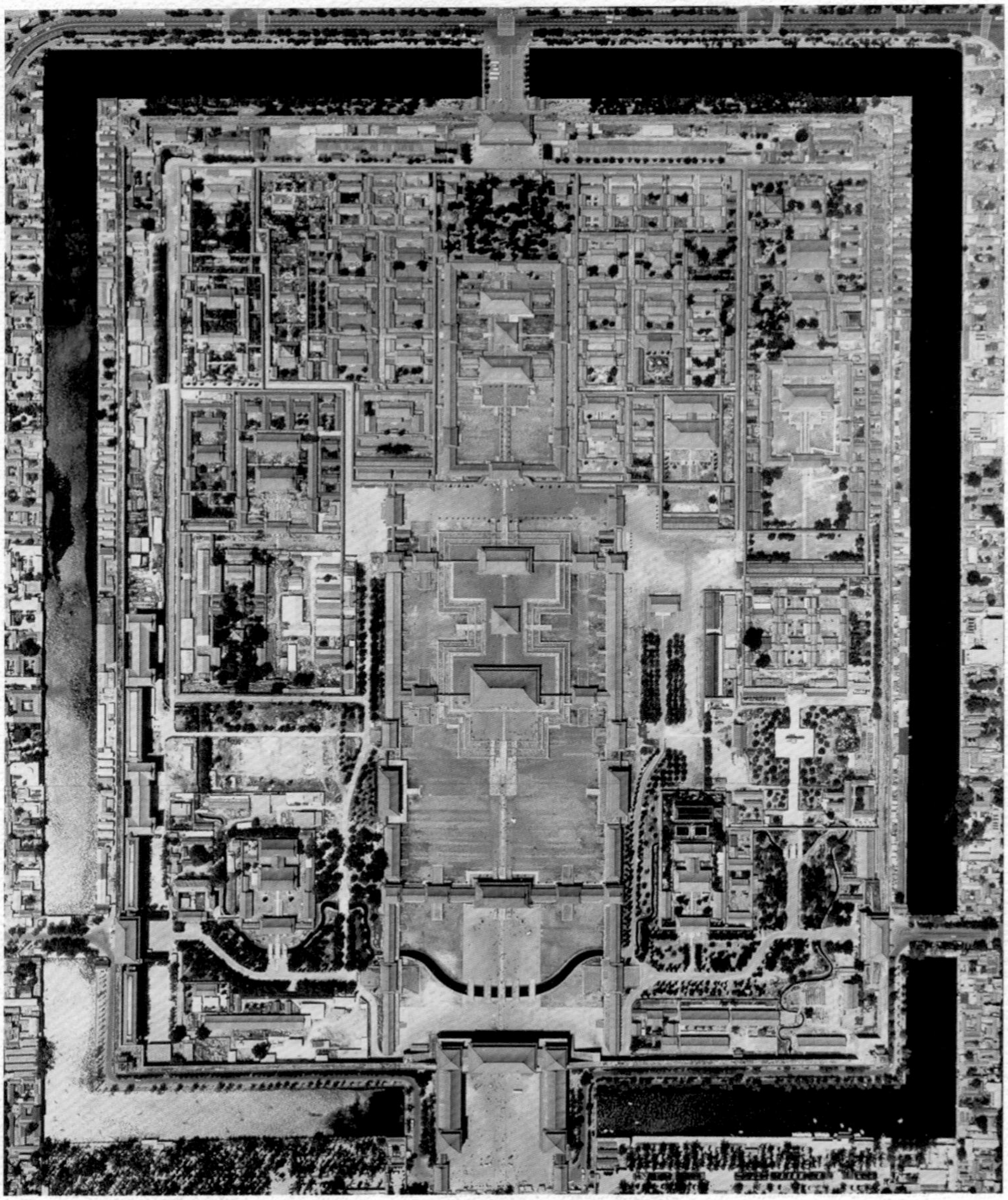

北京と紫禁城

真上から見た紫禁城（航空写真）

故宮博物院提供

首都・北京の誕生

北京は、別名を燕京という。秦が中国全土を統一する以前、現在の河北省のあたりには燕という国があり、現在の首都が現在の北京のあたりに所在していたことに因む。燕は、春秋・戦国時代を通じて大国であったが、秦が中国統一を進めるうちに滅ぼされ、漢以降には燕の地は幽州と称した。

古く中国王朝の首都や宮廷は、伝統的には中原の長安（西安）や洛陽にあり、長安などはシルクロードの東側の起点であったために繁栄したが、やがて中国本部の南北を結ぶ大運河に重点が移るにつれて、五代・北宋期の王朝の拠点は卞京（開封）に移った。その頃、契丹族が中国東北部からモンゴル高原東部におよぶ遼を興し、万里長城の南側にある燕雲十六州を入手すると、その一つの幽州に副都を置いた。ここは遼の領域では南方に当たるために南京と称した。これは現在の北京が国都となる原点となった。やがて女真族が興した金が勢力を得て遼を滅ぼすと、金は遼の南京を首都として中都とした。次いで蒙古族のモンゴル帝国から興った元は金と宋を滅ぼした。遊牧民族は移動生活を送るので、夏と冬とで宿営地を異にしており、元では夏営地の開平府（現在のドロンノール

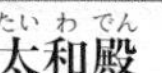

太和殿

太和殿宝座

紫禁城を上から見ると、南側の外廷には大きな宮殿がゆったり配置されるのに対し、北側の内廷には小さな住居が建ち並んでいることが理解される。正殿の太和殿は、諸宮殿中でも最大級の規模を誇り、三段の白石基壇の上に紅柱と彩色梁架で構築されて、二重庇の寄棟屋根に黄釉瓦を葺き、その内部に龍を彫刻した金彩の宝座（玉座）を置く。

付近）を上都とし、冬営地の中都を首都として大都と改称した。大都の都城や宮廷の設計は、中国古典の理念に忠実に従ったものであり、その基本設計は後世にまで引き継がれた。現在の北京や紫禁城の直接的な原型は、ここに始まる。北京の市街地の古い街並みを胡同というが、その語源はモンゴル語にあるという。大都の市街地には、当初はゲルのような住居が建っていたという説もあるが、やがて中国の伝統的な四合院の住居が建ち並んで、胡同を形成した。

紫禁城の成立と構造

明は元を駆逐すると、当初は応天府（南京）を首都としたが、永楽帝が即位すると北平府（もとの大都）を首都の北京とした。従来、この地に国都を置くのは、遼・金・元といった北方民族の王朝であったが、ついに漢族の明も北京に首都を置いたのである。永楽帝は即位する以前には燕王として北平府を拠点としており、また、同地は北方民族への対応や大運河を通じた南北交通の利便性という観点からしても重んじられたのである。このとき北京に建設された宮廷が紫禁城であり、ここで十四代の明朝皇帝と、それに続く十代の清朝皇帝が約五百年にわたって中国を統治した。紫禁城の

故宮博物院提供

部分

乾隆八旬万寿慶典図巻（下巻）

紙本着色
45.0×6389.2㎝
清時代・嘉慶2年（1797）
故宮博物院蔵

清の宮廷では元旦、冬至、万寿節（皇帝の誕生日）を三大祝典日に定めていた。万寿節の期間には、国中が皇帝を祝い、宮廷では祝典が挙行された。乾隆55年（1790）に乾隆帝は80歳を迎え、紫禁城や北京市街では盛大な祝賀が行なわれた。この図巻には、華やかに飾られた市街で市民が皇帝を祝う情景が生き生きと描かれている。

名称は、天空で不動に光る北極星を中心とし、その周囲にある北斗七星などを紫微垣と称することに因む。すなわち天界を地上に投影して、皇帝の居城を世界の中心に見立てて、立ち入りを許さない禁区としたのであった。明時代前半（十五世紀）を通じて北京と紫禁城は整備された。その後、紫禁城では主要宮殿の焼失などがあり、明時代後半（十六〜十七世紀）には再建や増改築などが行なわれた。したがって清が引き継いだ紫禁城は、創建当初からは宮殿の配置や形式などの変遷を重ねたものであった。また、明と清では政務や生活の仕方に異なるところもあり、清時代を通じて宮殿の用途の変遷や時宜に応じた増改築などもあれば、現在の故宮は清の光緒期（一八七五〜一九〇八）頃の紫禁城の面影を伝えているように見なされる。

紫禁城の平面設計は長方形をしており、南北九六一メートル、東西七五三メートルの広域を誇り、その平面設計を左右対称に分かつ南北方向の中軸線上に南から順に天安門・午門・太和門・太和殿・中和殿・保和殿・乾清門・乾清宮・交泰殿・坤寧宮・坤寧門・神武門といった宮殿や門が建ち並ぶ。これら宮殿や門の名称には、明時代のうちに、あるいは明清交代を経て改称されたものがある。紫禁城の南側は外廷（外朝）と称する国家の公的空間であり、北側は内廷という皇帝の私的空間であった。外廷は太和殿・中和殿・保和殿の前三殿を中心とする雄大な空間であり、太和門の東側に文華殿、西側に武英殿があった。内廷は乾清宮・交泰殿・坤寧宮の後三宮を中心とする優雅な空間であり、その両側に東西十二宮があった。原則として、男性は内廷に入ることができず、女性は外廷に入ることができなかったが、皇帝の大婚の際には、皇后が鳳輿に乗って外廷から内廷まで通り抜けることが許された。

第一章

皇帝の権威

太古より伝わる礼器や美術工芸品を持つことは、そのまま中国の歴史を継承し、保持することを意味した。今日、美術館や博物館で目にする名品は、皇帝の権威そのものの象徴であった。歴史的な名品は宮廷でどのように位置づけられていたのであろうか。

執筆（掲載順）：猪熊兼樹・市元塁
富田淳・六人部克典

饕餮文瓿（p.22掲載）

皇帝の儀式

慶寛「光緒大婚図冊」 紙本着色 61.0×111.0cm 清時代・19世紀 故宮博物院蔵

皇帝の婚礼を大婚という。光緒15年（1889）の大婚に際して、慈禧皇太后（西太后）は内務府に儀式を図解する図冊を製作させた。図冊には、宮殿の設営や廷臣の挙措が詳細に描かれており、往時の紫禁城の盛儀を彷彿させる。皇后の冊立と奉迎が行なわれる当日には、宮廷中が華やかに装飾されて、宮殿や門には双喜文の意匠が飾られた。

古代王朝の周では、朝日が昇るとともに王が宮殿に登って南面すると、その前庭に諸侯が整列したとされる。すなわち朝廷（庭）の由来である。周が衰退したのち、乱世を経て、秦が中国を統一した。秦王の嬴政（始皇帝）は、従来の王という称号を、天下統一の壮挙に相応しく皇帝に改めた。以後の歴代王朝において統治者として君臨する皇帝の登場である。その秦が倒れると、漢王の劉邦（高祖）が天下を制して、漢の皇帝に就いた。高祖は長安（西安）に入ると、長楽宮の造営にかかり、儒学者の叔孫通が新宮殿における礼制を整備した。高祖は完成した長楽宮に登ると、その前庭で廷臣たちが整然と並んで粛然と振舞う儀式の情景を眺めて、「私は、まさに今日、皇帝の貴さを思い知った」と感嘆した。こうして乱世後の平安を維持するための礼制の効果が認められて以来、中国では新王朝を興すには武力を用いながらも、その治安には礼制を用いることが繰り返されて最後の王朝の清まで及んだ。

即位

清の皇帝は、明の紫禁城を引き継ぎ、ここで中国の統治者として君臨した。その即位に臨んで、皇帝は乾清門の左旁門を通って内廷から出ると、輿に乗って外廷に向かった。皇帝は太和殿の後方にある中和殿に入り、そこで廷臣たちが跪いて即位を請うのを受けて、太和殿に入り、宝座に着いた。太和殿の前庭には、文官と武官が階級ごとに整列した。そして鞭の音が鳴り渡ると、廷臣たちは一斉に跪き頭を地に三度打ち付けることを三度繰り返した。三跪九叩頭の拝礼が済むと、内閣大学士が詔案上の詔書を宝案へと移し、「皇帝之宝」の玉璽を捺した。ここに詔が天下に布告されて、即位が成立した。そして再び鞭が鳴り渡ると、

すべて故宮博物院提供

皇帝は退出し、乾清門から内廷に帰ったのである。

大婚

皇帝の婚礼を大婚という。清の皇帝については、即位前に婚礼を終えていた場合もあり、大婚を行なったのは、幼年に即位した順治、康熙、同治、光緒の四帝である。皇太后たちによって皇后の候補となる女性が厳選されると、皇帝は候補者の実家に使者を遣わして贈答品を下賜した。紫禁城では皇后を迎える準備がなされ、太和殿をはじめとする宮殿や門は双喜文や龍鳳文などの意匠で華やかに装飾された。皇后を迎える日、皇帝が太和殿において皇后の冊立を行なうと、鳳輿が皇后の実家に向かった。皇后は鳳輿に乗り、大清門、天安門、午門、太和門を経て、外廷を通って内廷の乾清宮に到着した。そして皇后は坤寧宮で待つ皇帝のもとに行き、坤寧宮内の龍鳳同喜床に着いてのち、両人は一緒に祝盃をあげて食事をとり、ここで新婚の日々を過ごした。

万寿節

皇帝の誕生日を万寿節、后妃の誕生日を千秋節、皇太后の誕生日を聖寿節という。清では、元旦、冬至、万寿節を三大祝典日と定めており、これらの祝典に際して、皇帝は太和殿において廷臣の祝賀を受けた。万寿節の盛儀の規範とされたのは、康熙帝が六十歳を迎えた際のもので、皇帝の鹵簿（行列）は北京西北郊の暢春園から紫禁城の神武門に進み、その沿道では屋台や舞台が並んで市民が盛大に祝賀した。この故実をふまえて、乾隆帝は八十歳を迎えた際に円明園から紫禁城の西華門までの鹵簿を組み、これを市民が大いに祝った（10頁）。

天壇円丘

北京の南郊に設けられた天壇の円丘。年間で日照時間が最短となる冬至の日に、ここで祭天を行なった。「天は円形、地は方形」とする思想に基づき、円形の壇を三段に重ねた構造で、表面に青石を敷き詰め、白石の欄干を巡らせる。天壇の基本色は、蒼天に因んだ青色であり、建築の屋根には青釉瓦を葺き、皇帝は祭祀の際には藍色朝袍を着用した。

撮影：猪熊兼樹

故宮博物院提供

雲龍緙絲藍色朝袍

絹製緙絲

丈144.0×両袖通長194.0cm

清時代·乾隆年間(1736〜95)

故宮博物院蔵

乾隆帝が、北京の南郊での豊作祈願や雨乞祭祀に際して着用した朝袍。皇帝は祭祀に際して、南郊では藍、北郊では明黄、東郊では紅、西郊では月白の朝袍を用いた。清の宮廷では、満洲族の習俗に基づき、円領の大襟を右衽に重ねて首まわりに披領をつけた馬蹄袖の袍を礼装とした。この朝袍は満服の形式に五爪龍や十二章などの伝統的な皇帝の文様を表わしている。

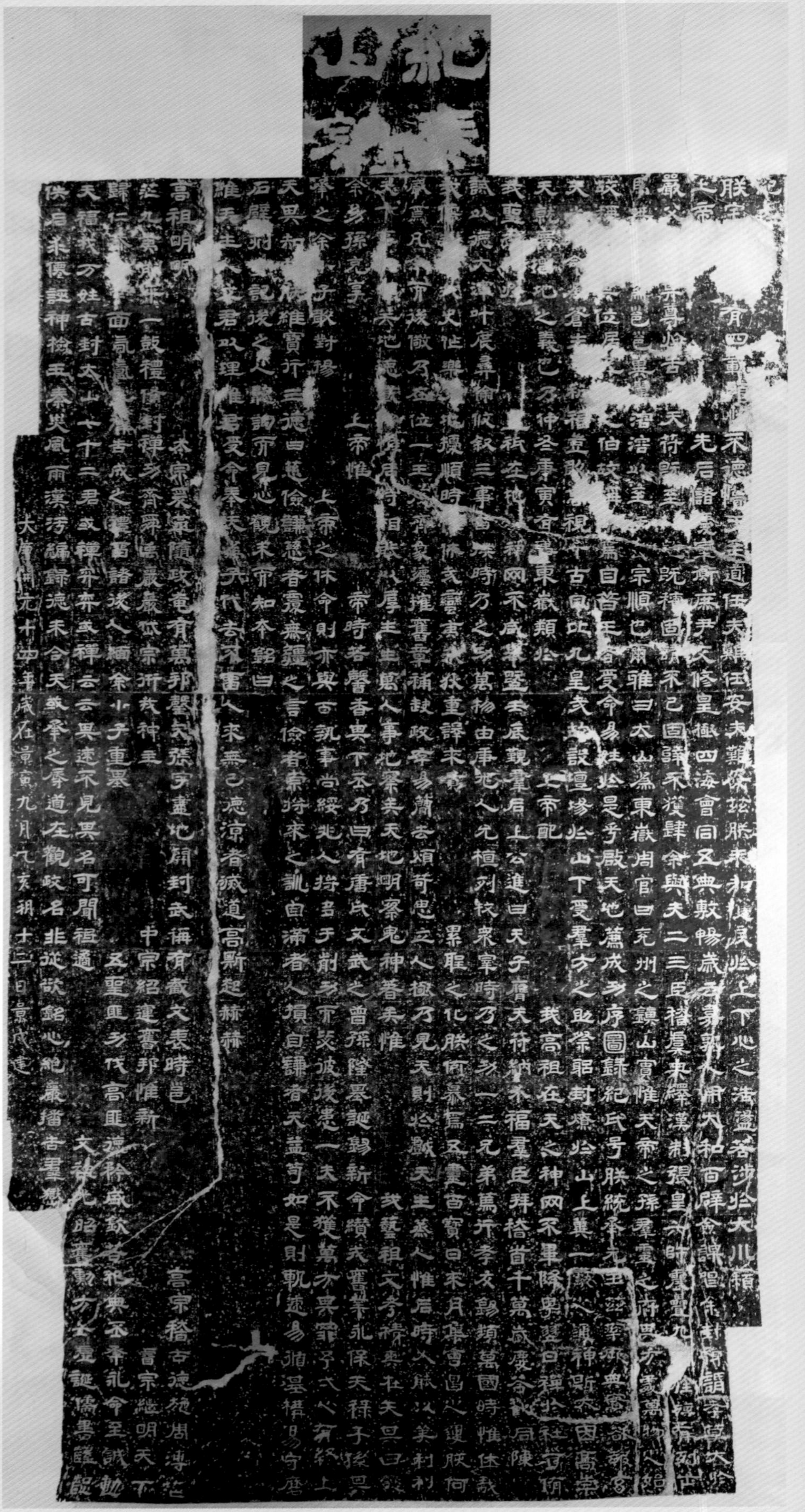

唐 玄宗「紀泰山銘」

紙本墨拓
863.0×498.0cm
唐時代·開元14年(726)
東京国立博物館蔵

唐の第6代皇帝の玄宗（685〜762、在位712〜756）は、開元13年（725）に東岳泰山(山東省)で封禅を行なった。玄宗の治世を天上天下に宣誓し、認証を得る国家儀式である。本作は、その経緯と意義について、挙行の翌年に泰山山頂の岩壁に刻して、諸岳に布告した銘文の拓本。題額4字と本文996字、合計1000字からなり、重厚で豊満な字姿の隷書で書写される。玄宗42歳時のこの書は、隷書をよくした筆者の代表作の一つ。

玄宗皇帝玉冊

軟玉　各長28.6～29.1×幅2.9～3.0×厚0.9cm
唐時代・開元13年(725)　國立故宮博物院蔵

唐の玄宗が、泰山で行なった封禅の儀式に使用した玉冊。封禅とは、古くから天子が行なった祭祀の中で、最も重要で盛大な儀式。天命を受けた天子が、天下の隆盛を天と地の神に告げるため、山の頂に土を盛り、壇を築いて天を祭り(封)、山の下で地を祓って、山川を祭った(禅)。短冊状にした軟玉の上下側面の孔に金属線を通し、5枚ずつ連ねている。

祭天と封禅

皇帝は、天を父とし、地を母とする天子である。したがって、天地を祭るのは子の道であり、皇帝だけが行ないうる祭祀であった。天地や日月の祭祀は、喧騒を離れるために、都城の郊外で行なわれた。紫禁城では、永楽帝の頃に南郊に天地を祭る天地壇が設けられたが、嘉靖帝の頃に天地を分けて南郊に天壇、北郊に地壇、そして東郊に朝日を祭る日壇、西郊に夕月を祭る月壇が設けられた。また、北京の南側に外城が拡張したため、天壇は外城内に入ってしまった。天壇には、冬至に祭天を行なう円丘(14頁)と、正月の豊作祈願や初夏の雨乞祈願を行なう祈年殿があった。

また、皇帝が即位したことを天地に報告する封禅という儀式が行なわれる場合もあった。これは古代の天子が、山東省の泰山の頂上で封(祭天)を行ない、麓の梁父で禅(祭地)を行なったとされる古儀をふまえて、秦の始皇帝が泰山で挙行した秘儀である。封禅は、全ての皇帝が行なった祭祀ではないが、漢の武帝、唐の玄宗、北宋の真宗などが挙行し、清の康熙帝や乾隆帝も泰山を巡礼した。

皇帝のコレクション
―青銅器・玉器―

亜醜父乙鼎
青銅鋳造
高29.7cm×口径21.5cm
殷時代・前13〜前11世紀
國立故宮博物院蔵

儀式で肉を調理し盛りつける容器。頸部に円渦文と四弁目文を交互に配し、内面に銘文「亜醜父乙」を鋳込む。亜醜は氏族の名であり、同銘の青銅器は山東省青州一帯で多く出土している。それらはいずれも殷の王墓出土品と比肩し得る優品であり、亜醜一族の力の大きさを物語る。本品は清朝の頃は紫禁城の頤和軒に置かれていた。

「商父乙鼎」図
（『西清古鑑』より）

『西清古鑑』は青銅器をまず器種で分類し、次に各器種を時代順に配列し、その中でさらに同一文様・同一銘文のものをまとめて掲載するという編集方針であった。本図は第1巻の5点目に掲載されたものである。現在、台北の國立故宮博物院が収蔵する亜醜父乙鼎が本図に対応する。実物よりも胴部の丸みが際立つなど強調された面もあるが、文様は正確に描写しようとの意思がうかがえる。

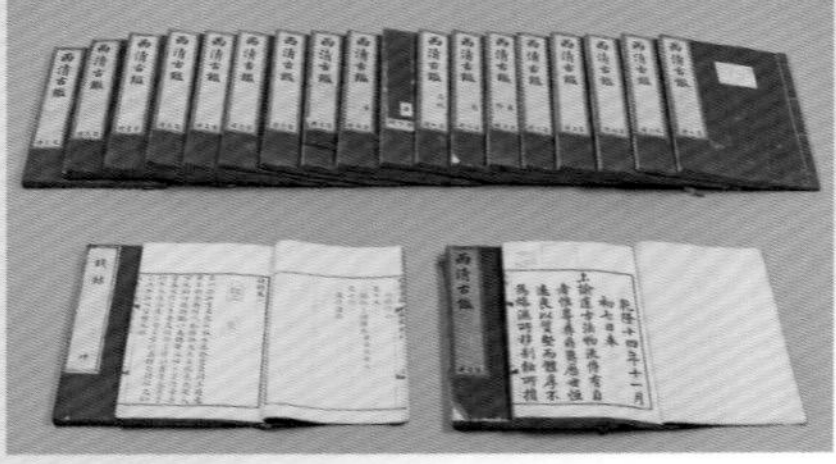

『西清古鑑』
紙本墨刷　縦39cm　乾隆20年（1755）初刊　東京国立博物館蔵
乾隆帝が梁詩正・蔣溥・汪由敦らに命じて編纂した宮廷所蔵青銅器の図譜。全40巻に1529件の青銅器を収録する。乾隆帝は編纂を命じる諭令において、時代を超えて今に伝わるいにしえの青銅祭器は重厚かつ堅牢で揺るぎなく、その輝きは夏・殷（商）・周三代の威光そのものであると品評した。

国の重大事は祀（祭祀儀礼）と戎（戦争）であるという（『春秋左氏伝』）。このことを指し示すように、三代と総称される夏・殷（商）・周の三王朝のもとで作られた最も精美な器物は、玉や青銅製の祭器であり兵器であった。

殷の頃の祭祀は祖霊や土地神などがその対象であった。続く西周時代に礼制と称される社会規範が確立すると、天子と臣下の関係といった現実世界の秩序が祭器にも内包され、それは器物の大小や多寡、あるいは鋳込まれた銘文によって可視化された。銘文では青銅器の所有者が称揚され、そして末尾にはしばしば「子々孫々まで末永く宝として用いよ」と記す。子孫は祖先の功績の証である青銅器を「保持」し、「伝承」することが期待されたのである。

周王朝が弱体化して春秋戦国の世になると、周の礼制も形骸化し始めたが、他方でこれを再興しようとの動きも現れた。その先陣を切ったのが西周を国家の理想と仰いだ孔子であった。孔子とその弟子たちが体系化した儒教は、西周の礼制を基盤として再編されたものである。儒教経典の一つで周の儀礼を記したとされる『周礼』では、青銅器と共に古来珍重されてきた玉器も重きを置かれ、天地四方を祀るための玉器や

故宮博物院提供

博古幽思軸

絹本着色
184×98cm
清時代・18世紀
故宮博物院蔵

円明園の深柳読書堂を飾るために雍正帝の命により制作された12幅のうちの1幅と考えられる。棚や卓上にさまざまな器物を並べる。青銅器では殷時代の觚、西周～春秋時代の鐘、戦国時代の扁壺を飾る。そのほか各種の磁器や女性の背後には蒔絵の漆箱もみえる。時代の異なるさまざまな器物が一堂に会するさまに、清朝の旺盛な文化力が垣間見える。

鐘

青銅鋳造　高 36.8cm　春秋時代・前７世紀
奈良国立博物館蔵（坂本五郎氏寄贈）

懸架して用いる打楽器で、正面を叩く際と側面を叩く際とでそれぞれ異なる音を奏でる。鐘は西周時代から戦国時代にかけて隆盛をみる楽器で、大きさの異なる鐘を並べて音階とし、内面を削って調音する例も多く、音楽に対する成熟のほどがうかがえる。本品の中央には「隹王正月初吉辰」で始まる銘文を鋳込む。

身分に応じて佩帯すべき玉器を事細かく規定した。

漢王朝では儒教が国の柱となり、西周への憧憬も相まって青銅器はなお不動の地位であり続けた。前漢武帝の頃、周の宝鼎が出土したとの報せが届くと、武帝はこれを吉兆として宮中に保管し、「元鼎」と改元した。また、唐の則天武后は古礼に倣って九鼎を作らせ、北宋の徽宗も九鼎を鋳たが、その原料は国家統治を体現すべく全国各地から集められた。徽宗はさらに宮廷が所蔵する古代青銅器を集成した『宣和博古図』を編纂した。歴代の皇帝はこのようにしていにしえの祭器を神聖化し、正統な皇権の証とし、治国の象徴としたのである。

清の乾隆帝も徽宗に倣い『西清古鑑』（一七五五年刊）などの青銅器図譜を相次ぎ刊行し、さらに礼制を整備して『皇朝礼器図式』（一七六六年刊）を著わした。同書の冒頭を飾る「祭器部」に収録された器物は、名称こそ古礼に従うものの、形状はどれも当世風であり、材質も青銅から陶磁に置換するなどさまざまな変化が見て取れる。乾隆帝は、宮廷のコレクションを通じて三代への尊崇の念を厚くし、何世紀にもわたる伝統を集大成しただけでなく、それを時代の潮流に見事に乗せたのであった。

青銅器の種類と名称

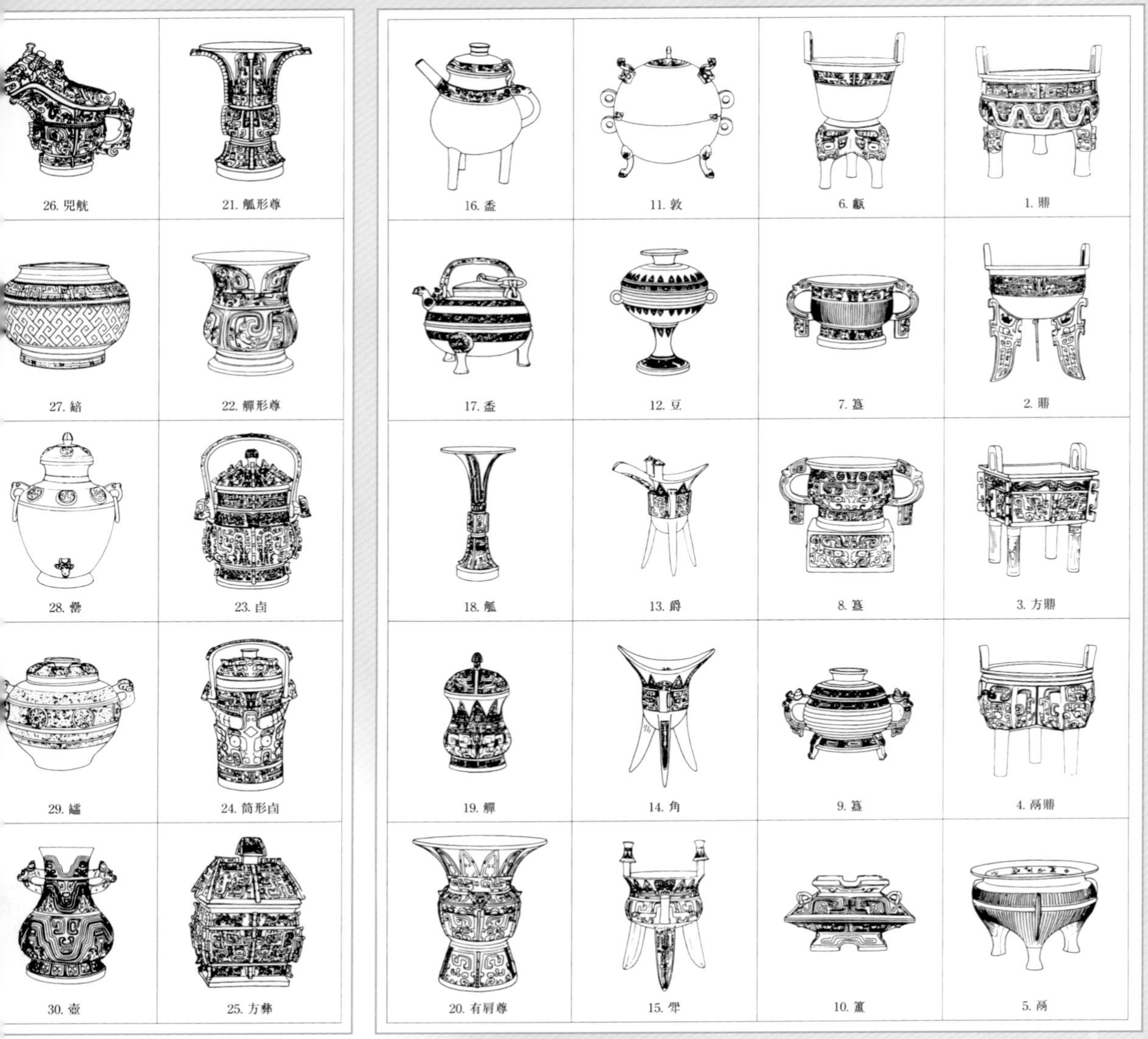

1. 鼎
2. 鼎
3. 方鼎
4. 鬲鼎
5. 鬲
6. 甗
7. 簋
8. 簋
9. 簋
10. 簠
11. 敦
12. 豆
13. 爵
14. 角
15. 斝
16. 盉
17. 盉
18. 觚
19. 觶
20. 有肩尊

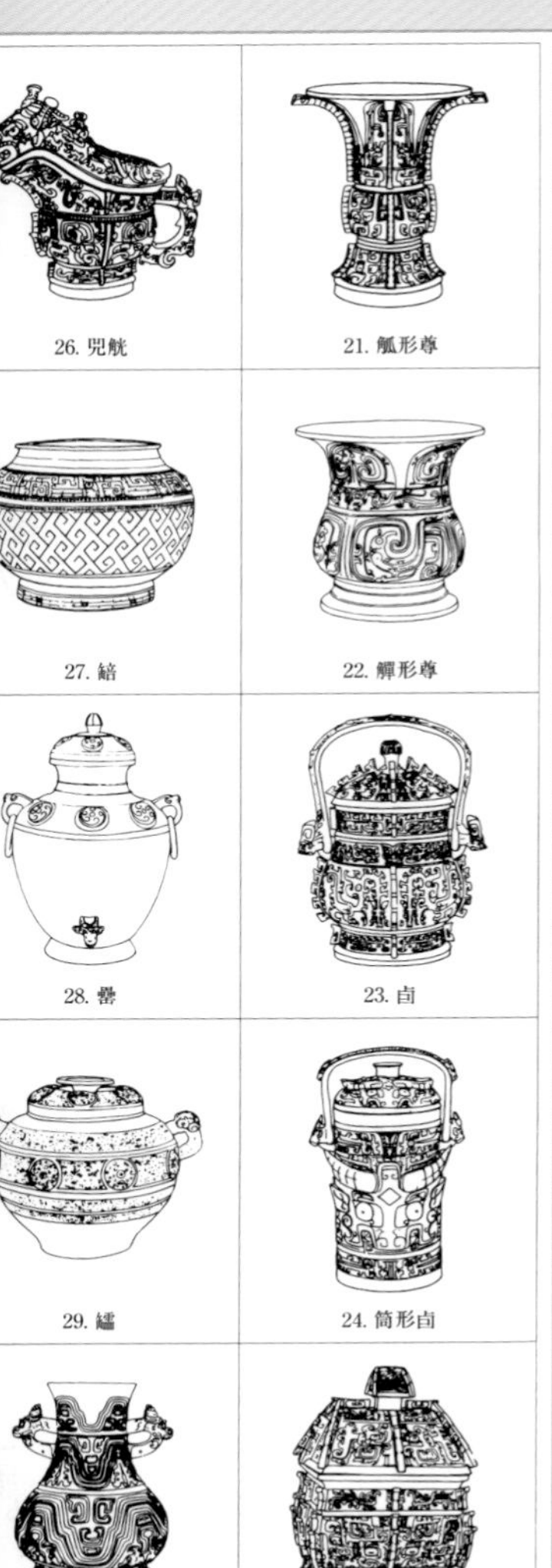

21. 觚形尊
22. 觶形尊
23. 卣
24. 筒形卣
25. 方彝
26. 兕觥
27. 錇
28. 罍
29. 鑐
30. 壺

『泉屋博古 中国古銅器編』（泉屋博古館、二〇〇二年）より転載

青銅器の不思議な名前

青銅祭器のうち最も古くからあるのが爵と觚である。爵は酒を温める容器で、その酒を注ぎ入れる容器が觚である。これら酒器とともに長い歴史をもつのが鼎。これは肉を煮るための容器で、三本足にまるまるとした胴部、口縁には把手がつく。青銅器は夏・殷（商）・周の頃におおよその器種が出揃ったが、その後、春秋戦国時代になり儀礼が変容するなか、器物の名称も混乱がみられるようになった。『論語』雍也篇第六に、子曰く「觚、觚ならず。觚ならんや、觚ならんや」とある。いま人々が觚と称している器は果たして本当に觚なのか、いったいどれが本当の觚なのだと、苦悩する孔子の顔が浮かぶようだ。それほどに記録上の器物と実物との対比は困難な状況となっていたのだろう。その後、青銅器祭祀の衰退とともに器物の名はいっそう不明瞭となったが、宋代に金石学が発展すると、青銅器に鋳込まれた文字の解読も進み、そこから改めて多くの器物の名が判明することとなる。

左上 **雷文爵**（らいもんしゃく）

青銅鋳造　高16.3×長13.6cm
殷時代·前15〜前14世紀
東京国立博物館蔵

爵は酒を温めるための容器であり、儀式に用いる青銅容器としては最も古くから作られたものである。本作は、すらりと伸びた細長い三脚と平底の器身が独特の緊張感を醸し出している。これは初期の作例にみられる特徴である。

左 **饕餮文觚**（とうてつもんこ）

青銅鋳造
高17.0×口径12.1cm
殷時代·前15〜前14世紀
東京国立博物館蔵（杉山定敏氏寄贈）

觚は、細長い器体と大きく開く口をもつ杯形の容器で、飲酒に用いたとされる。くびれた部位に饕餮文を配し、その上下に凸線を2条引いているが、手に持つ際はここを手掛かりにしたものと推察される。本作の魅力である簡素な文様表現と凹凸の少ない単純なプロポーションは、殷時代のなかでも早い時期の觚の特徴である。

饕餮—暗中模索の獣面文—

殷（商）代の青銅器でひときわ目をひく文様に饕餮文がある。宋代の学者・呂大臨は自身が編纂した青銅器図譜『考古図』の中で次のように説いた。「『呂氏春秋』には、周の鼎は饕餮を表わし、頭があるが体はなく、人を食らえど飲み込まずと記す。また『春秋左氏伝』には、飲食に没頭して家を傾けた役人の話があり、天下の民はこれを饕餮と呼んだ。いにしえは鼎を鋳て模様を表わす際にはこの図を表わし、暴飲暴食の戒めにしたと記している」。呂大臨は二種の文献を引いて饕餮を論じたわけが、実は、これらの書物が編まれた時にはすでにこの種の文様は過去のものになっていた。そのためこの種の文様を饕餮と断じるには根拠が薄いとして、現代は単に獣面文と呼ぶことが多く、その正体は祖先神や土地神、あるいは天帝であるなどさまざまに説かれている。いったい、この獣面文は饕餮なのか、違うとすれば何か。千年を超える議論は今も続いている。

西周から春秋へ
—新たな組み合わせの誕生

匜は、瓜を半分にしたような形で一方に注ぎ口がつく。盤は平底で立ち上がりが低い器である。発掘調査では、匜が盤の上にのった状態で出土することがある。こうした位置関係と周の礼法を記したという『儀礼』の匜と盤の記述から、両者の使用法は次のように考えられる。それは儀式で手を洗い清める際、その水をいれて手に流すのが匜で、そこから滴り落ちた水を受けるのが盤であるという。記録のうえでは、両者は西周時代の儀式の場面で欠かせないものとなっているが、実は匜と盤という組み合わせが登場するのは西周時代の後半以降（主に前九世紀以降）で、普及するのは春秋時代（前八～前五世紀）になってからである。それまでは盉と呼ぶ筒状の注ぎ口がついた容器が盤とセットであった。西周の礼法を説いたという『儀礼』の中にも、多分に編纂時期である春秋時代の文化が入り込んでいるのである。

▶ 饕餮文瓿

青銅鋳造
高60.7×口径32.5cm
殷時代・前13～前11世紀
東京国立博物館蔵（坂本キク氏寄贈）

瓿は酒や水をいれるためのずんぐりとした形の容器。胴部下半に表わされた大きな饕餮文は、本器を見上げるような視線で対峙すると目が合う。饕餮文の上には、神格化した獣頭の飾りである犠首を配する。蓋には笠状のつまみがあり、頂部にとぐろを巻いた獣を表わしている。立体的で量感ある造形は殷時代後期の特徴である。

鱗文匜

青銅鋳造　高14.1×長27.2cm
西周～春秋時代・前9～前7世紀　東京国立博物館蔵

儀式で手を洗う際の水をいれ、また手に流しかける際に用いる容器。平面楕円形で、短側面の片側に注口がつき、反対側に龍をかたどった把手がとりついている。口縁近くの器壁には、把手の龍の鱗と同一意匠の鱗文様がめぐる。四脚もまた龍を模したものである。

鱗文盤

青銅鋳造　高10.6 ×口径36.2cm
西周時代・前9～前8世紀
奈良国立博物館蔵（坂本五郎氏寄贈）

儀式で手を洗う際の水を受ける容器。高台径が大きく安定した作りにしているのもそうした用途を想定してのことだろう。盤は殷時代から登場し、当初は内底に龍などの神獣を表わしたが、西周時代になると銘文を鋳込む例や素面とする例が増加する。側面には鱗状の文様がめぐる。西周時代の後半以降は匜とセットで出土することが多い。

「漢獣環奩」図（『西清古鑑』より）

一見すると漢代の典型的な器物にみえるが、そうであれば脚部を熊形に作るはずであり、子を抱いているというのもやや奇異にうつる。おそらくは本図のもととなった器物は純然たる漢の遺物ではなく、漢代の尊に後補の脚をとりつけたか、器物全体が後世の作と考えられる。

巨大化する青銅楽器

前十一世紀に殷（商）王朝を滅ぼした西周王朝は、青銅器祭祀をはじめ多くを前王朝から継承したが、次第に独自の文化体系を築き始める。その一つが音楽の重視だ。青銅製の楽器は殷（商）時代にはすでに登場していたが、西周時代には鐘を懸け並べた編鐘が普及し、編成数も多くなり、さらには楽器の内側を削って調律を行なう例が増えるなど、音楽を取り巻く環境が整備されていくのである。こうした趨勢が顕在化する西周時代の後半（主に前九世紀以降）には、楽器自体が巨大化するという変化もみられる。底辺が平らな鎛と呼ぶ吊り鐘は、とくにこの傾向が顕著である。元来が大ぶりで高さ五〇センチほどのものもみられたが、西周時代の後半以降には高さ八〇センチに迫り、戦国時代には九〇センチを超える大作もある。いっぽう、殷（商）の青銅器の代名詞ともいえる饕餮文は、すっかり影を潜めてしまうのである。

蟠螭文鎛

青銅鋳造　高60.5cm

戦国時代・前5世紀

東京国立博物館蔵（坂本キク氏寄贈）

底部が平らな吊り鐘を鎛と呼んでいる。吊り元である鈕は複数の龍が絡み合って構成され、胴部は小龍が複雑に絡み合う蟠螭文で飾っている。青銅製の楽器は古くから作られていたが、西周時代になると「楽」が社会秩序の調和を体現するものとして重視され、青銅楽器も多様化していった。

「漢雲螭鐘」図（『西清古鑑』より）

本図は漢雲螭鐘と命名するが、春秋時代の鎛か、さもなければ宋代以降に古器を模して作られたいわゆる倣古作かのいずれかである。『西清古鑑』の線画は、文様に関しては比較的原品の特徴をよくとらえていることから推せば、本図については後者の可能性が高いだろう。

温酒尊（おんしゅそん）　青銅鋳造　高22.8×口径20.2cm　漢時代·前1世紀〜後1世紀　東京国立博物館蔵

寸胴形の器身に山岳形の蓋を伴い、三脚は熊をかたどる。同形品に「温酒樽」と刻銘したものがある。この「温」は「醞」の借字であり、「醞酒」とは醸造を繰り返して旨味を増した酒を意味する。器身と蓋には鏨（たがね）彫りで疾駆する禽獣を彫刻する。中には羽の生えた馬や虎、龍、羽人もおり、濃密な神仙世界を表現している。

漢の銅器
—『西清古鑑』の射程

長い歳月をかけて体系化されてきた青銅器祭祀は、西周の滅亡後は次第にその結束が解かれ、ある器種は衰退し、ある器種は変容し、漢代には多くの器種が新式のものへ置換した。南北朝時代になると、中央アジア方面との往来が活発化し、また仏教が興隆するなど多様な文化が入り混じり、文化芸術の規範は漢一辺倒ではなくなったが、それでも漢文化の影響は唐時代頃までは残った。

『西清古鑑』を紐解くと、大半の器物は殷(商)か周時代に比定されているが、漢や唐に比定された青銅器も少数ながら採録されている（今の知見に照らすと同書の年代観には問題も多い）。夏・殷（商）・周三代を称揚する同書ではあるが、漢も唐も長命かつ広大な版図を有した政権であり、清朝にとっては模範となる存在であることから、三代と共に列せられるべき存在だったのだろう。こうした古代の統一王朝を基軸とした編纂方針は、今日の「中国美術」という枠組みの源流の一つである。

裏面の神面文（当初の向き）

正面の鷹文（当初の向き）

玉器―尊崇から愛好へ

今から八千年ほど前、美しく潤いをたたえた軟玉による製品―玉器が各地で作られるようになった。玉器は、その美しさと高度な加工技術を要することから高い価値を有するようになり、儀式や祭祀の道具としても発達し、複雑化した地域社会では地位や身分をも表象するものとなった。そして今から四千年以上前の龍山文化期では神のすがたを彫刻した玉器が多く作られ、玉器それ自体が尊崇の対象となった。

図版の玉器の表裏には浅い浮彫がある。地上神を示す獣面と、そこに降り立とうとする天上の神鳥とされる。本品はいつの頃か宮廷の所有となって乾隆帝も親しく愛玩し、自身の古稀を寿ぐ「古希天子」や「五福五代」の印とともに、御製詩（ぎょせいし）を彫らせるほどであった。御製詩によると、乾隆帝はこの玉器がおよそ殷(商)あるいは周の時期のものであり、両面の文様は鷹と熊と判じ、「鷹熊」の発音は「英雄」に通じるとしてその象徴性を高く評価したのである。

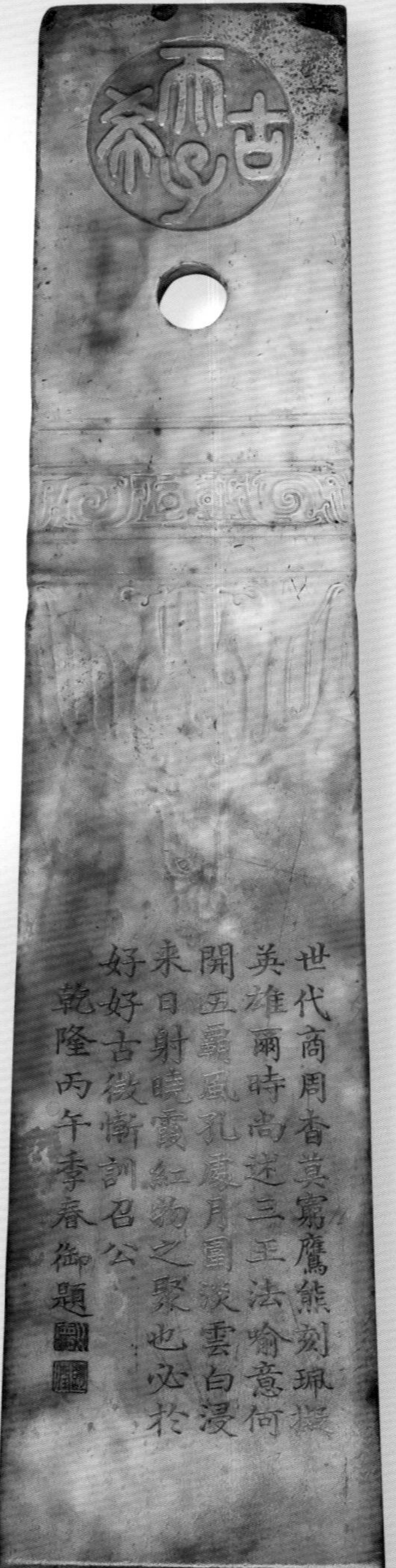

（正面）

鷹文玉圭（ようもんぎょくけい）

軟玉　高30.5×幅7.2cm
新石器時代（山東龍山文化）・前2500～前1900年
國立故宮博物院蔵

清朝の頃に作られた木製台座に当初の向きと逆にして据えられているが、取り出すとその端部は片刃に仕上げられている。本来は斧であったものが祭器へと昇華したのである。正面には薄肉彫りで鷹のような猛禽を表わし、裏面には大きな瞳の神面を表わしている。刻まれた御製詩からは、乾隆帝が本品をいたく気に入り愛玩していたことがうかがえる。

（反対面）

第二章 皇帝が愛でた美術

清朝の宮廷に集められた美術品コレクションは、『秘殿珠林』『石渠宝笈』といった目録に収載され、そのことによって価値が確固たるものになったという側面がある。膨大な宮廷コレクションの中から、書跡・絵画・工芸の名品を、乾隆帝の愛玩を交えつつ紹介する。

執筆（掲載順）：六人部克典・植松瑞希
富田淳・猪熊兼樹

蘇軾「黄州寒食詩巻」より（p.44掲載）

乾隆帝の書画鑑蔵と編纂物

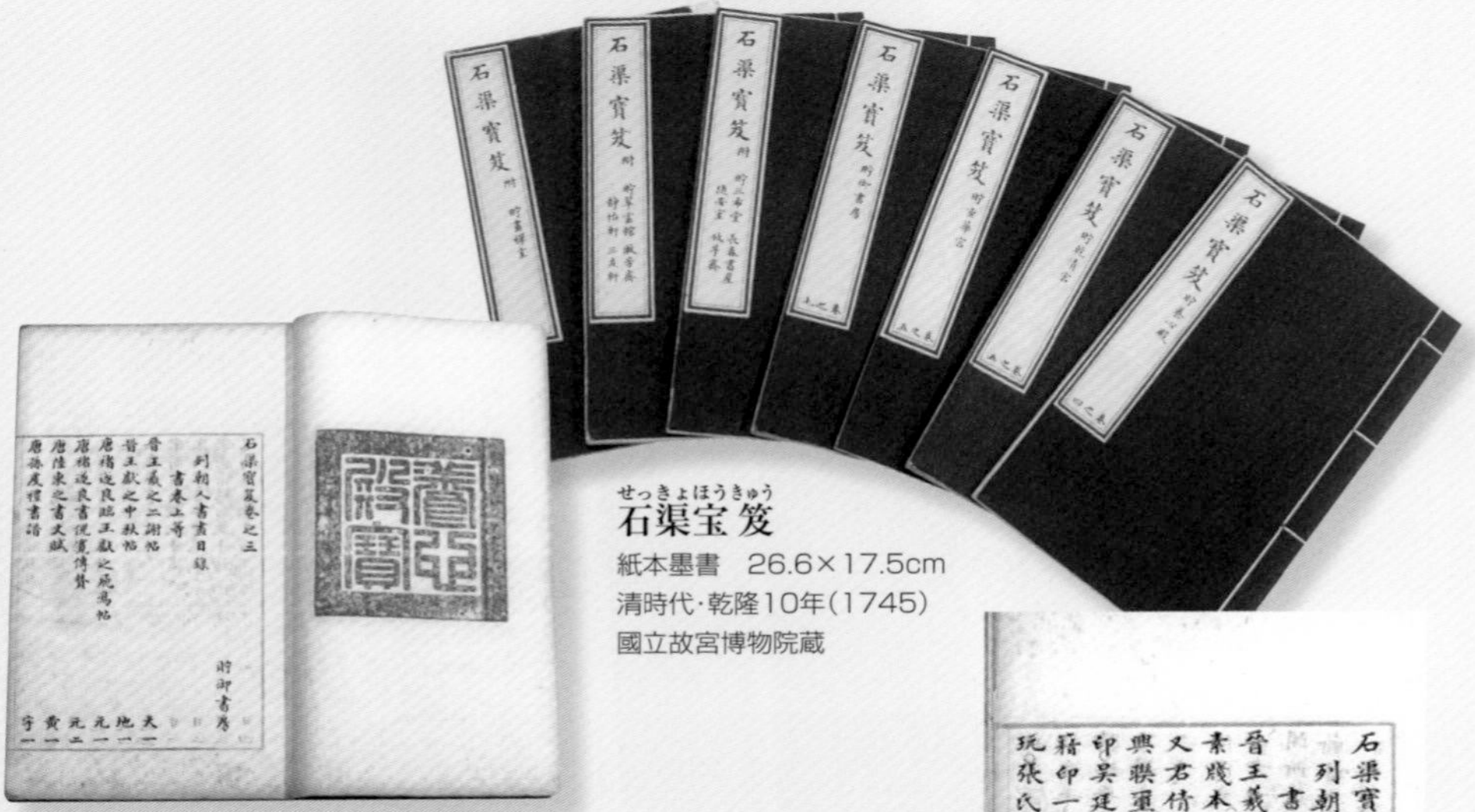

石渠宝笈

紙本墨書　26.6×17.5cm

清時代・乾隆10年（1745）

國立故宮博物院蔵

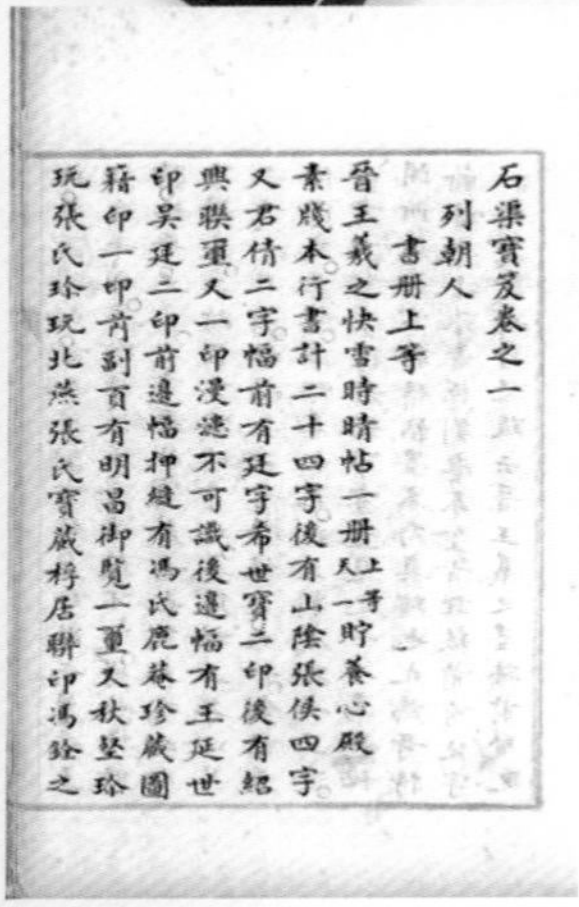

石渠寶笈卷之一
列朝人
書冊上等
晉王羲之快雪時晴帖一冊上等天一貯養心殿
素箋本行書計二十四字後有山陰張侯四字
又君倩二字幅前有廷宇希世寶二印後有紹
興聯璽又一印漫漶不可識後邊幅有王廷世
印吳廷二印前邊幅押縫有馮氏鹿菴珍藏圖
籍印一印前副頁有明昌御覽一璽又秋壑珍
玩張氏珍玩北燕張氏寶藏柃居群印馮銓之

『石渠宝笈』より貯養心殿一、列朝人、書冊上等「晋王羲之快雪時晴帖一冊上等天一」の冒頭

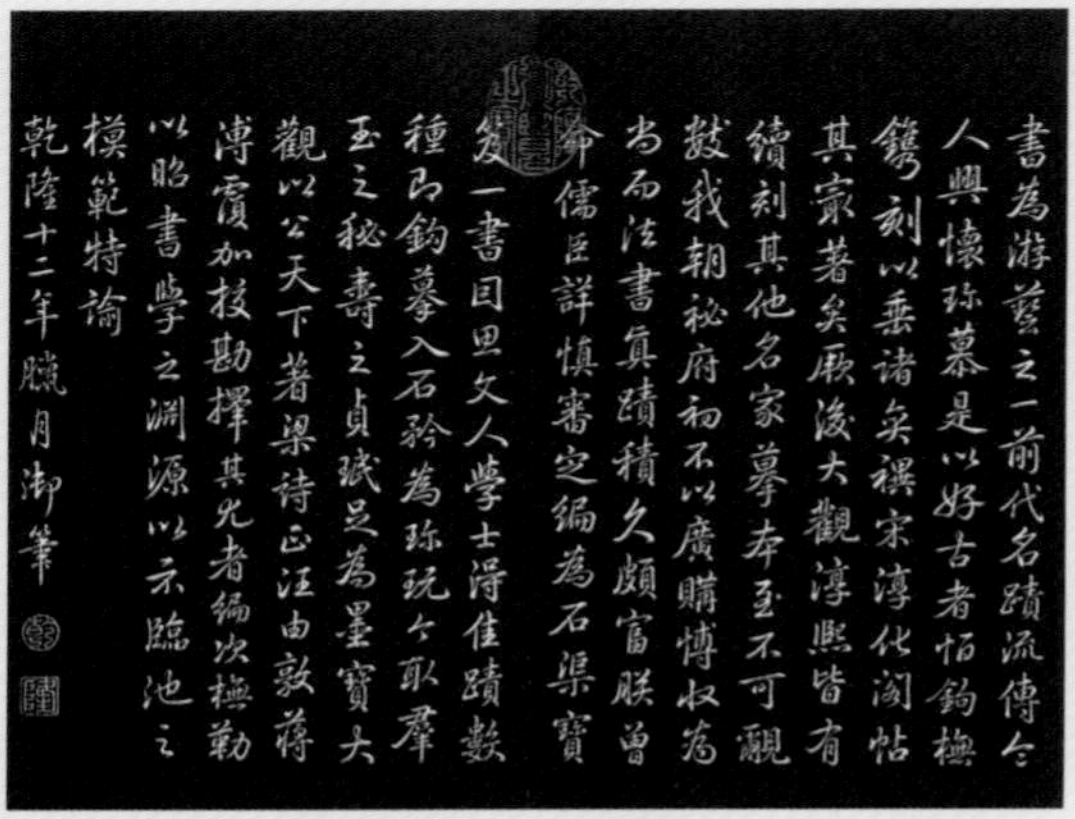

書為游藝之一前代名蹟流傳今
人興懷珍慕是以好古者恒鉤摹
鐫刻以垂諸奕禩宋淳化閣帖
其彙著矣厥後大觀淳熙皆有
續刻其他名家摹本至不可覼
數我朝秘府初不以廣購博收為
尚而法書真蹟積久頗富朕曾
命儒臣詳慎審定編為石渠寶
笈一書因思文人學士得佳蹟數
種即鉤摹入石矜為珍玩今取羣
玉之秘壽之貞珉豈為墨寶大
觀以公天下著渠詩臣汪由敦蔣
溥賡加校勘擇其尤者編次標勒
以昭書學之淵源以示臨池之
模範特諭
乾隆十二年臘月御筆

三希堂法帖

紙本墨拓　28.0×17.8cm　清時代・乾隆15年（1750）

國立故宮博物院蔵

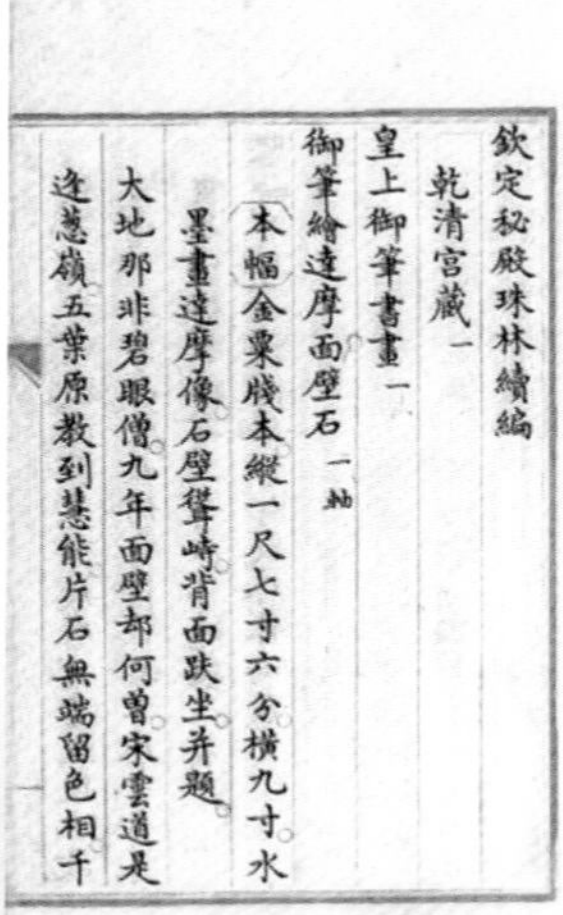

欽定秘殿珠林續編
乾清宮藏一
皇上御筆書畫一
御筆繪達摩面壁石一軸
本幅金粟箋本縱一尺七寸六分橫九寸水
墨畫達摩像石壁聳峙背面趺坐并題
大地那非碧眼僧九年面壁卻何曾宋雲道是
逢葱嶺五葉原教到慧能片石無端留色相千

秘殿珠林続編

紙本墨書　27.6×17.5cm

清時代・乾隆58年（1793）

國立故宮博物院蔵

乾隆帝（一七一一〜九九）は歴代屈指の書画コレクションを形成し、鑑識・収蔵（鑑蔵）等に関わる編纂事業に注力した。なかでも、「国家承平百年」、すなわち順治元年（一六四四）の北京への遷都以来、清朝が天下太平百年を迎える記念事業として企図した内府所蔵の書画録『秘殿珠林』『石渠宝笈』初編と、のちの同続編の編纂はその眼目たるものであった。続く嘉慶帝（一七六〇〜一八二〇）は、乾隆帝の遺業を継いで同三編（一八一六）を編纂した。『秘殿珠林』は仏教、道教に関する書画、『石渠宝笈』は一般の書画について、膨大な所蔵品から選定して、その一部を収録する。

『秘殿珠林』初編（一七四四）の収録件数は、目録上、千四百二十件余り、『石渠宝笈』初編（一七四五）は二千五百件余り（附を含む）にのぼる。ともに、書画を宮中の所蔵場所で大別のうえ、各所で四朝（順治、

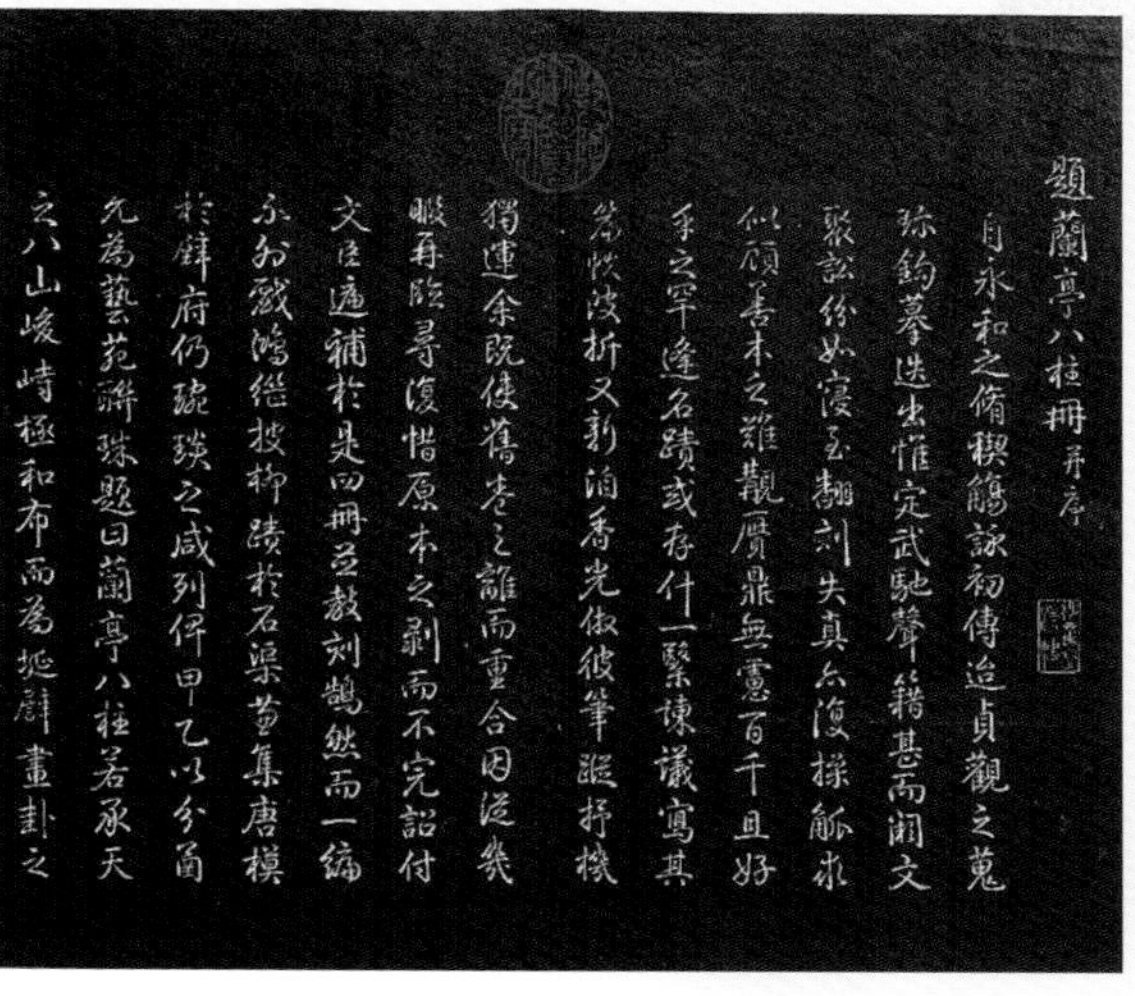

蘭亭八柱帖
紙本墨拓　29.8×34.2cm　清時代・乾隆44年(1779)
國立故宮博物院蔵

欽定重刻淳化閣帖
紙本墨拓　30.5×17.5cm　清時代・乾隆34年(1769)
東京国立博物館蔵(高島菊次郎氏寄贈)

康熙、雍正、乾隆)の宸翰を首に冠し、後に歴代名人等の作や刻本、繡線(刺繡)、刻絲(綴織。緙絲とも)等の書画を排列する。さらに形状(冊、巻、軸)、種別(書、画、書画合璧)、時代で編次し、歴代の名跡は上等、次等に品評する。上等は真跡で筆墨の佳い作を、次等は真跡だが神韻がやや遜る作と筆墨が頗る佳くてもいまだ真贋の弁別が確かでない作を分類した。各品の記載内容は、材質、形状、法量、款識、印記、題跋、鑑蔵璽印等で、上等は詳細に、次等は簡略に記載した。また、『千字文』順の編号を一部に付した。両著の所蔵場所や形状による分類は、従来の書画録にはなかった最大の特色であり、後述の用璽等と連関して、史上類をみない合理的で洗練された書画の鑑蔵体系を築いたのである。これは、乾隆内府における膨大なコレクションの管理を考え合わせると、当然の帰結であったのかもしれない。

乾隆帝は四十余年後に二集の編纂を命じて、『秘殿珠林』『石渠宝笈』続編(一七九三)が成った。初編の成書後も、朝廷では皇族の慶事ごとに盛大な式典が行なわれ、群臣百官が古今の書画を献上し、あるいは当代有数の収蔵家の旧蔵品等を新たに接収するなど、内府の書画コレクションはさらに壮大なものとなっていった。両著の収録件数は、『秘殿珠林』続編が目次上、四百八十件余り、『石渠宝笈』続編が三千百十件余りを数え、後者は新たな所蔵場所として、寧寿宮、淳化軒等の諸所を加え、増大したコレクションの管理に対応したのである。また、続編では上等、次等の評価は行なわずに、全て詳細に記録した。碑拓法帖が新たに収録され、洋法・番画(西洋式・異民族の絵画)や緙繡(緙絲・繡線)等も含まれた。なお、続編所収の、内府所蔵の名跡を刻入した大部な法帖『三希堂法帖』、宋の太宗の『淳化閣帖』を再編した『欽定重刻淳化閣帖』、「蘭亭」に関する八種の墨跡を収録した『蘭亭八柱帖』は、乾隆帝勅撰法帖の代表作であり、著録とともに法帖の編纂にも意を注いだことを物語る。

体系的な編纂事業に呼応して、乾隆帝は書画に捺す璽印を定式化し、「乾隆八璽」などと称される用璽で、著録や所蔵場所、評価を識別できるように整理した。また、表装においても各種の様式を定め、書画を体系的に収蔵、管理したのである。

そして鑑識に際しては、自ら考証・品評して、書画等の文物に題跋を付し、「神・妙・能・逸」などの品等を記すこともあった。題跋はときに夥しい数に及び、過去の題跋を削り、書き換えることもしばしばあり、執拗なまでの態度が窺える。前述のとおり、内府のコレクションが、臣下からの献上や民間からの接収等にもよることをふまえると、乾隆帝にとっての書画の蒐集と鑑蔵は、すなわち過去と現在の人民あるいは中華世界そのものの掌握、統治をも意味するものであったと言えるのかもしれない。乾隆帝の文物に対する深遠な態度には、鑑蔵という範疇を超えた天子のみが到達しうる境地が垣間見られるのではないだろうか。

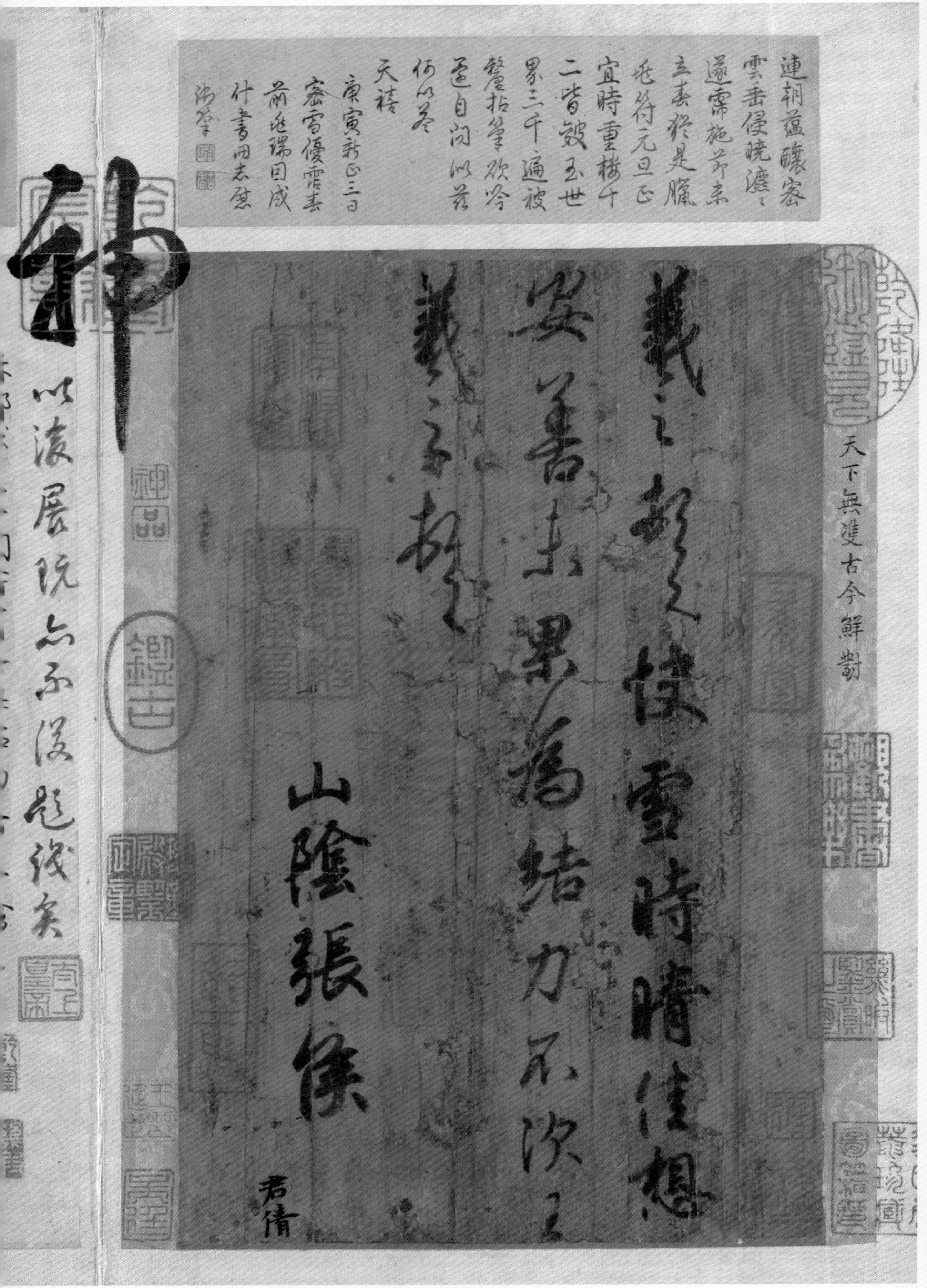

天下無雙古今鮮對

連朝蘊釀密
雲垂優曉漉〻
遂需施節來
立春頫是臘
旦符元旦正
宜時重樓千
二皆鋪玉世
界三千遍被
瓷屢拈筆欲吟
遙自問以慈
何以答
天禧
庚寅新正三日
密雪優霑喜
前題瑞因成
什書司志慰
御筆

羲之頓首快雪時晴佳想安善未果為結力不次王羲之頓首

山陰張侯

君倩

神

以後展玩亦須題識矣

皇帝のコレクション

書跡

羲之頓首。快雪時晴。佳想安善。未果為結。力不次。王羲之頓首。山陰張侯。

王羲之「快雪時晴帖」

紙本搨摹　23.0×14.8cm　原跡：東晋時代・4世紀
國立故宮博物院蔵

王羲之（303～361、異説あり）が山陰（浙江省）の張侯に宛てた書簡の唐時代の摹本
南宋の高宗内府から金の章宗、元の仁宗、清朝内府まで、歴代の皇帝あるいは権力者
賞鑑家が鑑蔵した。殊に乾隆帝は35歳以前から退位した85歳以後まで、都合70回
を超える題跋を記した。伝統的な品第法をふまえた乾隆帝は、一部の書画を「神・妙
能・逸」等の各品に分別したが、本作には本紙の見開きに「神」字を題し、また三希（7
頁）の一つとして愛蔵した。『石渠宝笈』「養心殿」、『石渠宝笈』附「三希堂」所収。14開
に及ぶ帖に仕立てられ、本紙は第5開に押されている。搨摹とは、点画の輪郭線を取っ
て墨を塡める双鉤塡墨の技法で敷き写しをすること。

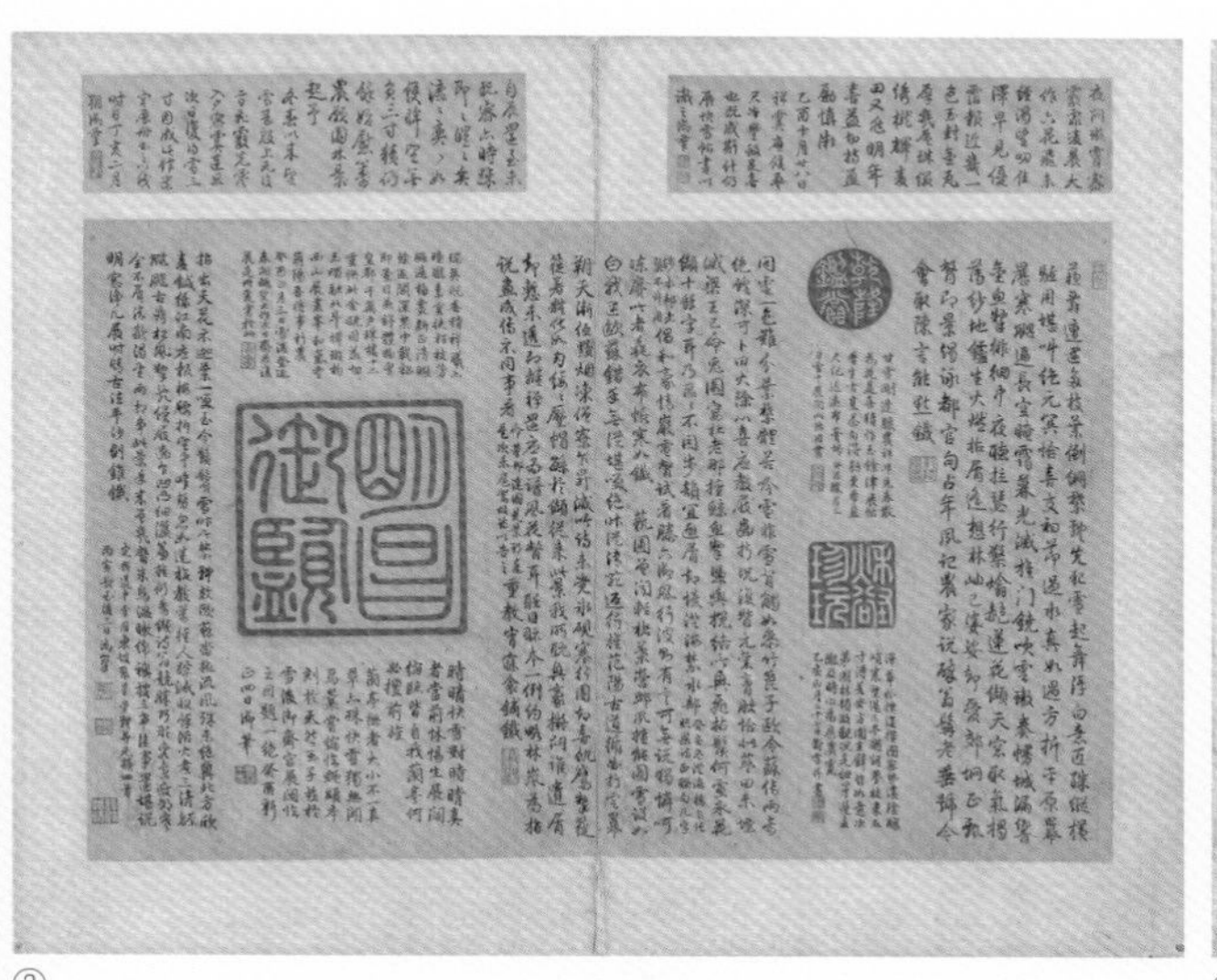

③

①

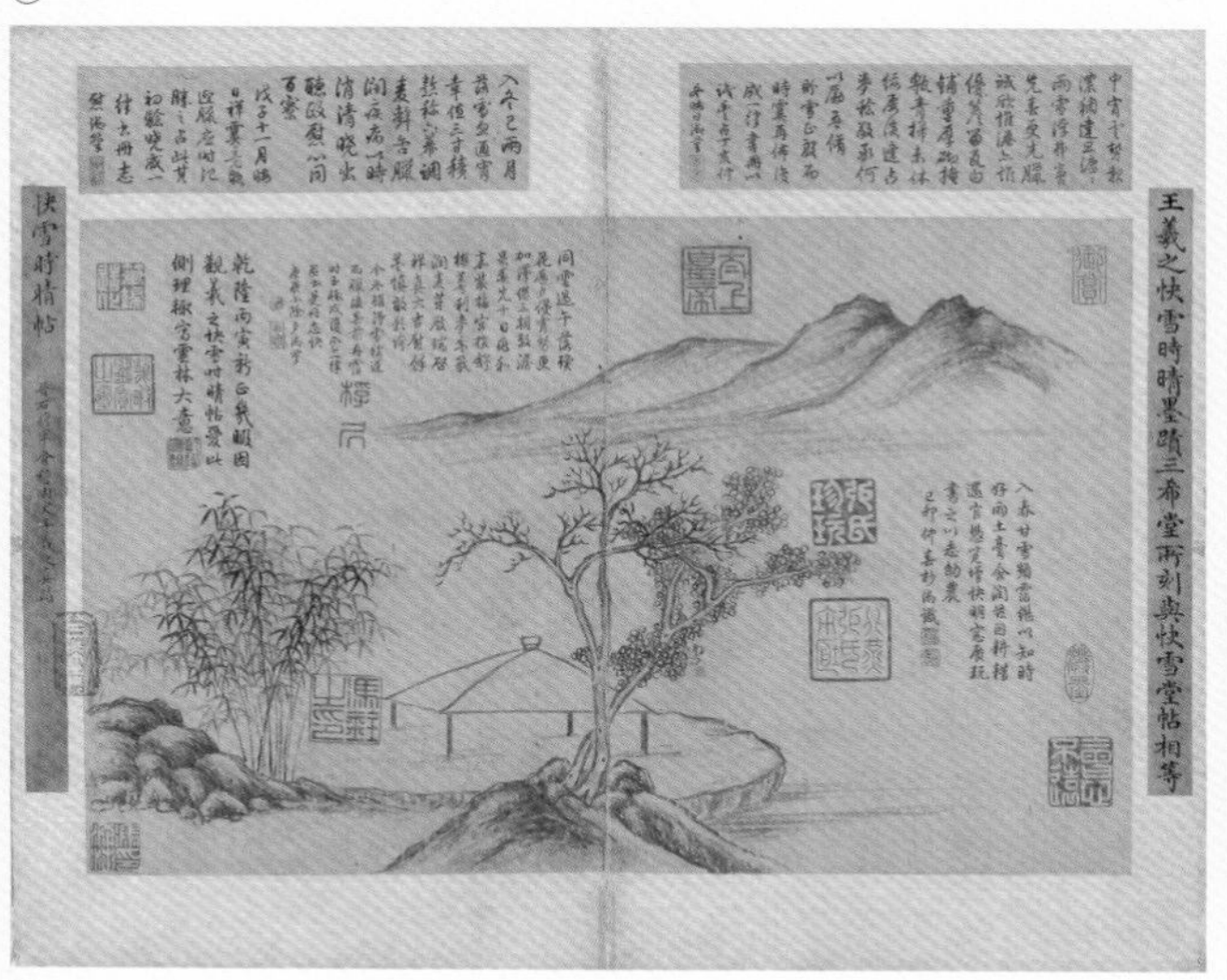

④

②

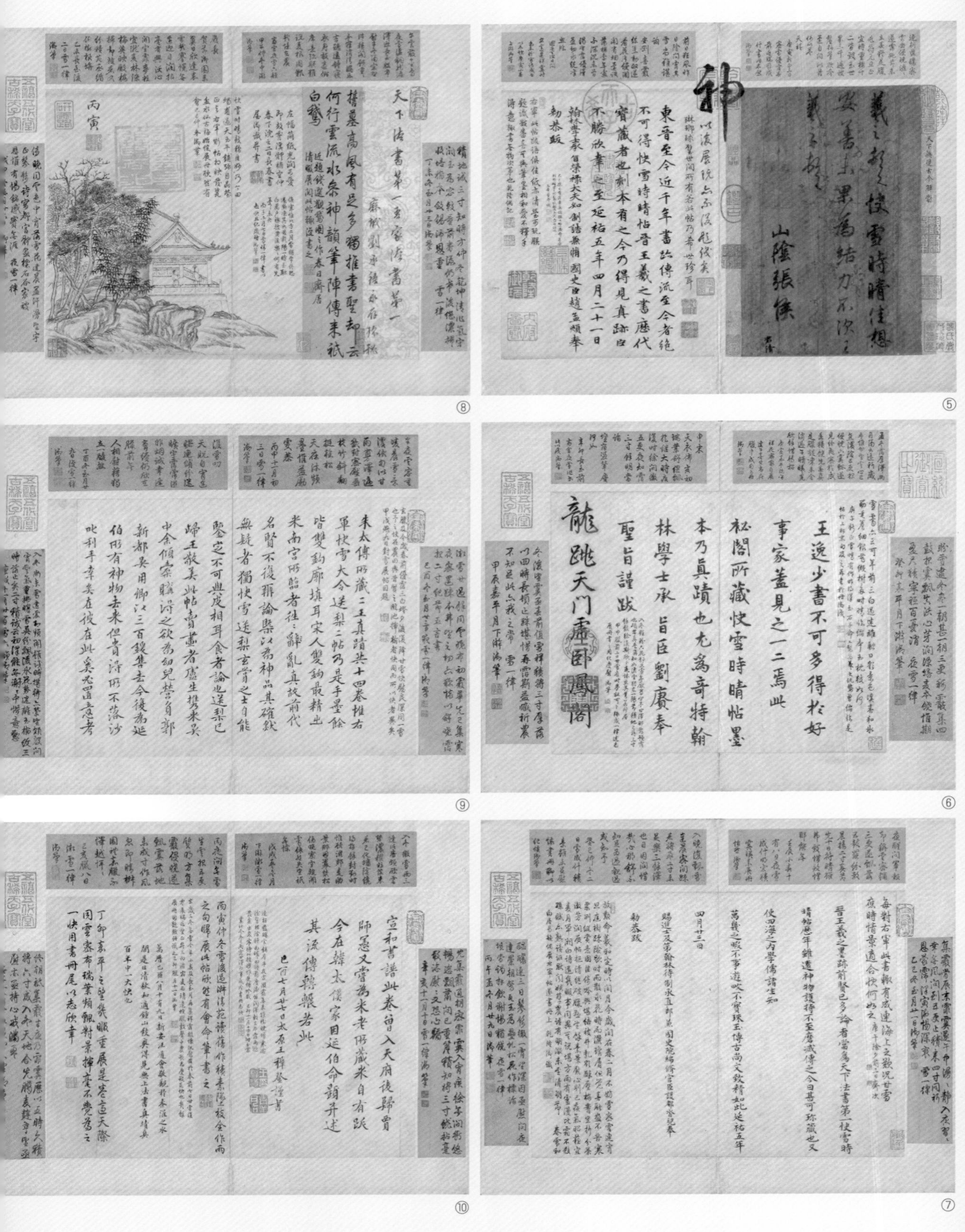

⑧ ⑤

⑨ ⑥

⑩ ⑦

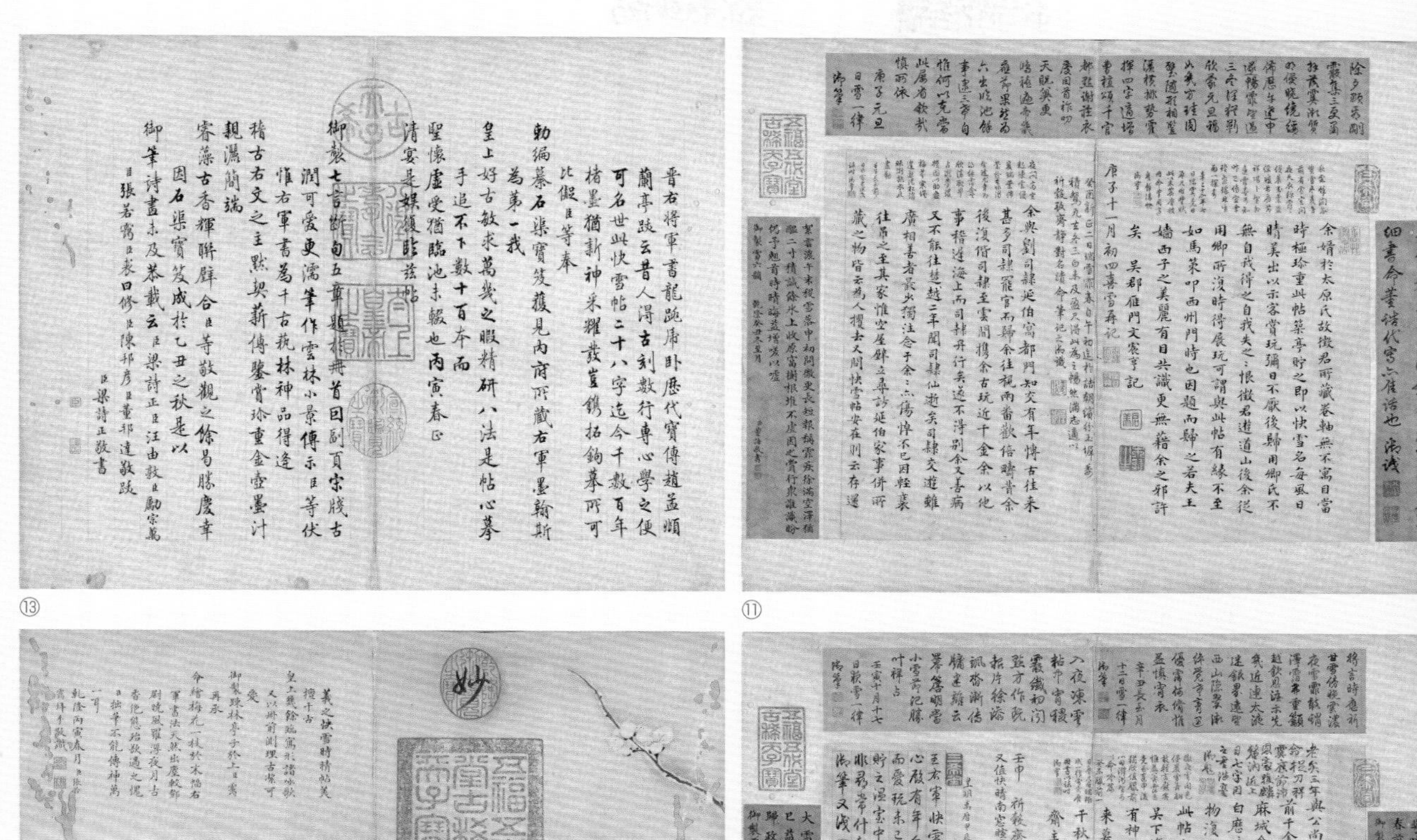

⑬

⑪

⑭

⑫

鑑蔵印と題跋

美術品は作者から離れたあとも、さまざまな人物の手を経て、新たな歴史を紡ぐ。中国では伝統的に、文物を鑑識・収蔵(鑑蔵)する際、証明や記録として、本体周辺に印章や題跋を銘記した。とりわけ中国書画における鑑蔵印と題跋は、その鑑蔵方法を特色づける要素であり、伝来過程を物語る重要な資料でもある。

たとえば王羲之「快雪時晴帖」は全十四開のうち、本紙は第五開右半にある一葉のみで、他の部分は後世の資料にあたる。本紙にも、唐末の梁秀(りょうしゅう)の押署という説がある墨書「君倩(くんせん)」や宋の高宗内府の「紹興」連珠璽などが見える。本紙に隣り合う第五開左半には、元の仁宗所蔵時に勅を奉じて記された趙孟頫(ちょうもうふ)の跋がある。そして余白を埋め尽くすかのように所狭しと鑑蔵印や題跋が付されるが、その大半が乾隆帝の手になる。趙孟頫跋の最終行の下にも、乾隆帝が極小の文字で三行の跋を認めている。即ち、「乾隆十四年(一七四九)臘日(旧暦十二月八日)、降雪のあとに、興に乗じてこの帖をざっと縮小臨書した。刻字匠の朱采(しゅさい)に命じて、姚(よう)宗仁(そうじん)製の玩鶩の玉器にこれを刻させた」などという。ときに題跋は往時の鑑蔵の様子をありありと伝えてくれるのである。

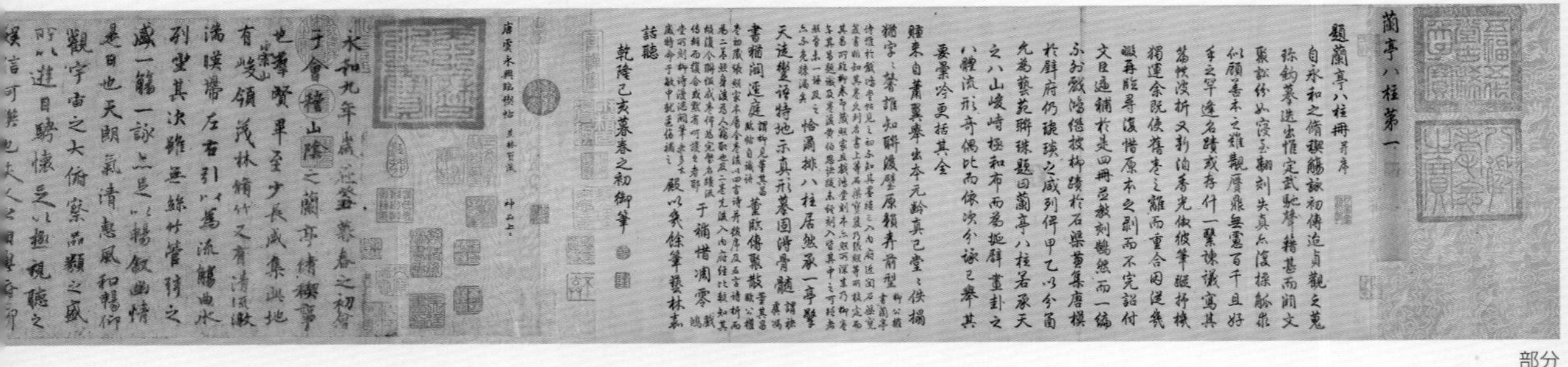

部分

永和九年歲在癸丑暮春之初會
于會稽山陰之蘭亭脩稧事
也羣賢畢至少長咸集此地
有崇山峻領茂林脩竹又有清流激
湍暎帶左右引以為流觴曲水
列坐其次雖無絲竹管弦之
盛一觴一詠亦足以暢敘幽情
是日也天朗氣清恵風和暢仰
觀宇宙之大俯察品類之盛
所以遊目騁懷足以極視聴之
娯信可樂也夫人之相與俯仰
一世或取諸懷抱悟言一室之内
或因寄所託放浪形骸之外雖

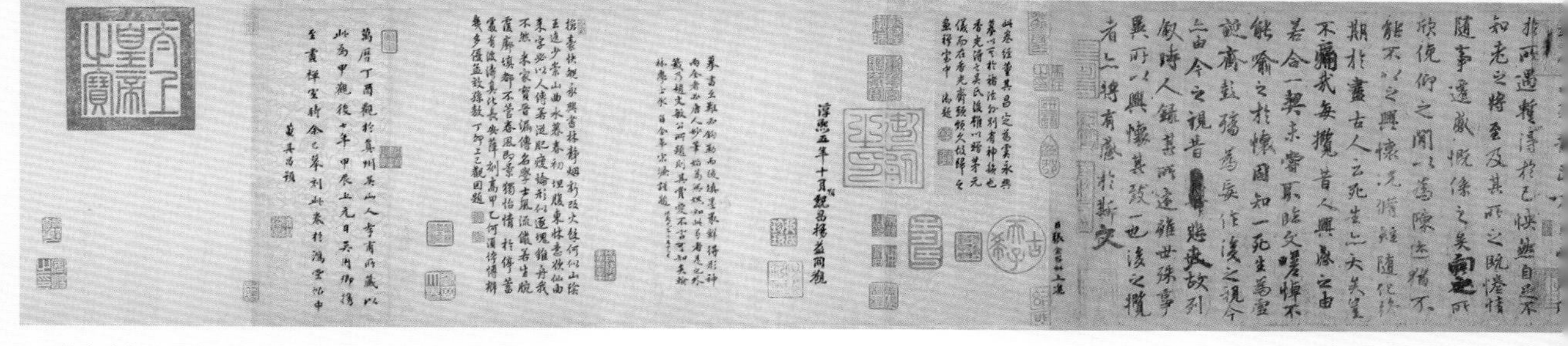

伝虞世南摹「蘭亭序巻」（蘭亭八柱第一本）

紙本搨摹　24.8×75.5cm

原跡：東晋時代・永和9年（353）

故宮博物院蔵

東晋の永和9年3月3日に会稽山陰（浙江省紹興）の蘭亭で、王羲之が名士を招き修禊の雅会を催した。「蘭亭序」は会で詠まれた詩集の序文の草稿として王羲之が書写したもの。真跡は唐の太宗（598～649）が陪葬させて失われたが、各種の複製が伝わる。本作は、虞世南（558～638）摹と伝承する唐時代の搨摹本。明の董其昌跋は虞の臨本、陳継儒跋は虞の摹本といい、清の乾隆帝跋では董其昌が虞の摹本と定めたと記し、乾隆帝勅刻の『蘭亭八柱帖』では、第1冊に「虞世南摹蘭亭序」として収録する。『石渠宝笈』附「画禅室」、『石渠宝笈続編』「重華宮」、『蘭亭八柱帖』所収。

本紙冒頭

永和九年。歳在癸丑。暮春之初。会
于会稽山陰之蘭亭。脩禊事
也。群賢畢至。少長咸集。此地
有崇山峻領。茂林脩竹。又有清流激
湍。映帯左右。引以為流觴曲水。
列坐其次。雖無糸竹管弦之
盛。一觴一詠。亦足以暢叙幽情。
是日也。天朗気清。恵風和暢。仰
観宇宙之大。俯察品類之盛。
所以遊目騁懐。足以極視聴之
娯。信可楽也。夫人之相与俯仰
一世。或取諸懐抱。悟言一室之内
或因寄所託。放浪形骸之外。雖
趣舎万殊。静躁不同。当其欣
於所遇。蹔得於己。快然自足。不
知老之将至。及其所之既倦。情
随事遷。感慨係之矣。向之所
欣。俛仰之間。以為陳跡。猶不
能不以之興懐。況脩短随化。終
期於尽。古人云。死生亦大矣。豈

すべて故宮博物院提供

乾隆帝題字・鑑蔵印・題簽（巻頭）

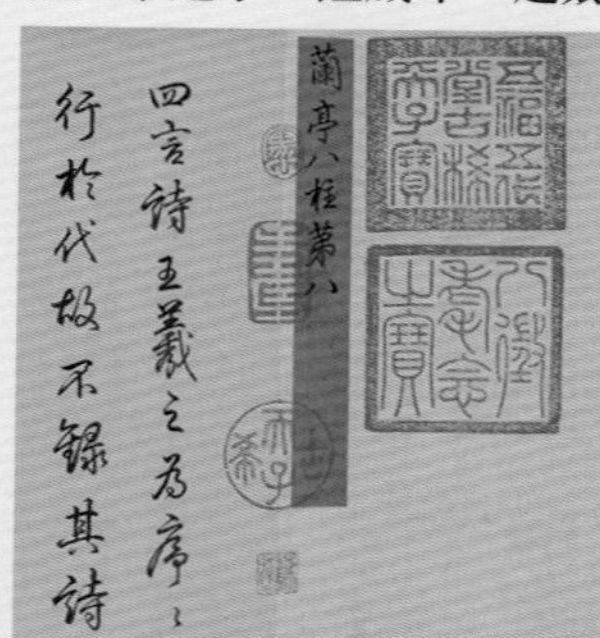

乾隆帝「臨董其昌臨柳公権書蘭亭詩巻」（蘭亭八柱第八本）

紙本墨書　27.8×1144.5cm　清時代・18世紀　故宮博物院蔵

董其昌（1555～1636）は64歳時に、柳公権（778～865）の書と伝わる「蘭亭詩」（蘭亭の雅会で詠まれた全37首の詩を収録）のうち34首を任意に臨書した。乾隆帝（1711～99）はこれらを重視して、董書を幾度か臨書したという。本作はその1点で、董書の欠字を一部補い、また柳書以来の誤記を除いて臨書し、自ら題字と跋文（1778）を付した。あたかも、伝統的な蘭亭文化の継承者として、見識の高さを示すかのようである。『石渠宝笈続編』「重華宮」、『蘭亭八柱帖』所収。

四言詩王羲之為序々
行於代故不録其詩
文多不可全載今各
裁其佳句而題之亦
古人斷章之義也
王羲之　自此之下十一人兼有五言
代謝鱗次忽焉以周
欣此暮春和氣載柔
詠彼舞雩異代同流

乾隆帝跋文・鑑蔵印（巻末）

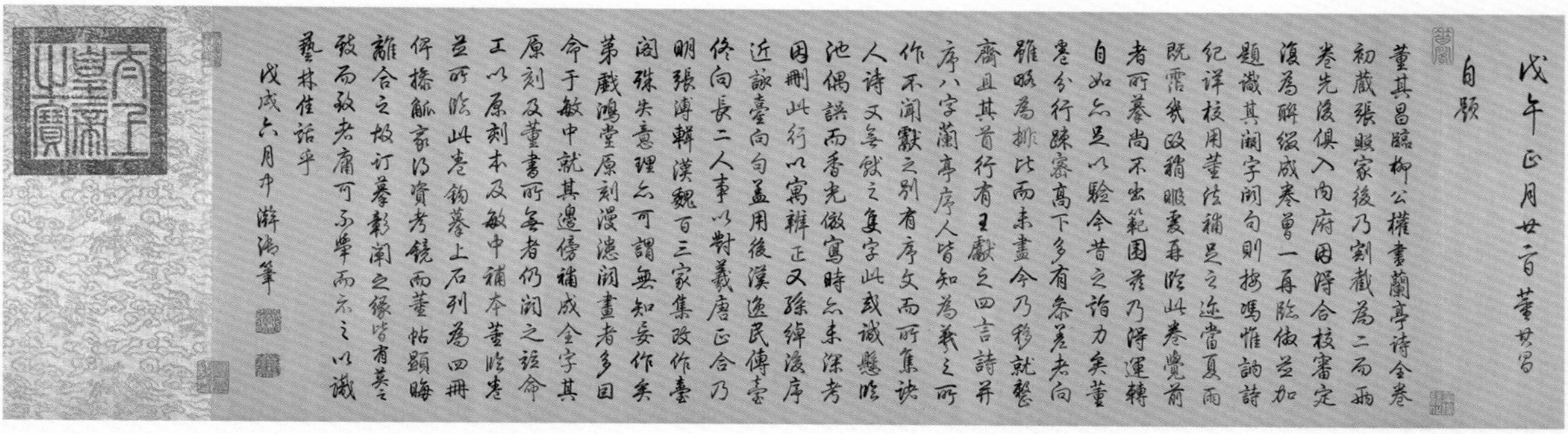

戊午正月廿二日董其昌

自題

董其昌臨柳公權書蘭亭詩全卷
初藏張照家後乃割截為二而兩
卷先後俱入内府因得合校審定
復為聯綴成卷曾一再臨倣並加
題識其闕字闕句則按[illegible][illegible][illegible]詩
紀詳校用董法補足之迹當夏雨
既霽幾政稍暇[illegible]再臨此卷覺前
者所摹尚不出範圍茲乃得運轉
自如亦足以驗今昔之詣力矣董
書分行疏密高下多有參差未向
雖略為排比而未盡今乃移就整
齊且其首行有王獻之四言詩并
序八字蘭亭序人皆知為羲之所
作不聞獻之別有序文而所集諸
人詩又無獻之集字此或識懸臆
池偶誤而香光做寫時亦未深考
因刪此行以寓辨正又孫綽後序
近詠臺向句蓋用後漢逸民傳臺
佟向長二人事以對羲唐正合乃
明張溥輯漢魏百三家集改作臺
閣殊失意理亦可謂無知妄作矣
第戲鴻堂原刻漫漶闕畫者多因
命于敏中就其邊傍補成全字其
原刻及董書所無者仍闕之茲命
工以原刻本及敏中補本董臨卷
並所臨此卷鉤摹上石列為四冊
俾操觚家得資考鏡而董帖顯晦
離合之故訂摹彰闡之緣皆有莫之
致而致者庸可不彙而示之以識
藝林佳話乎
戊戌六月中澣御筆

本紙冒頭

四言詩王羲之為序。序行於代故不録。其詩文多不可全載。今各裁其佳句而題之。亦古人断章之義也。王羲之。自此已下十一人兼有五言。代謝鱗次。忽焉以周。欣此暮春。和気載柔。詠彼舞雩。異代同流。乃携斉好。散懐一丘。

蘭亭八柱（らんていはっちゅう）

伝虞世南摹「蘭亭序巻」（蘭亭八柱第一本）の巻頭には、乾隆帝筆「題蘭亭八柱冊幷序」が付される。乾隆四十四年（一七七九）、蘭亭脩禊と同じく暮春の初に書写した、『蘭亭八柱帖』に題する五言古詩と序文である。同帖は乾隆帝が命じて、内府所蔵の「蘭亭序」と「蘭亭詩」に関する都合八種の墨跡を、石製の方柱八本に刻した法帖のこと。乾隆帝は円明園（えんめいえん）内の坐石臨流（ざせきりんりゅう）亭（てい）を八角形に改築し、新設した石柱にこれを刻入させた。八種の墨跡は、天地を支える伝説上の八山や万物を象徴する八卦に擬（なぞら）えて「蘭亭八柱」と題し、芸苑の聯珠（れんじゅ）とされた。唐人の伝承をもつ歴代屈指の「蘭亭序」の墨跡を第一本～第三本に充てた一方、蘭亭脩禊の故事を補完する「蘭亭詩」関連の墨跡五種を第四本～第八本に充て、乾隆帝自らの作を第八本に据えた。すなわち、第一本の「題蘭亭八柱冊幷序」に始まり、第八本の乾隆帝跋で終わる。『蘭亭八柱帖』の制作は、王羲之の蘭亭脩禊に象徴される中国の伝統文化の正統な継承者であることを、乾隆帝が暗示しているのかもしれない。アロー戦争（一八五六）を経て円明園が荒廃し、のちに蘭亭八柱は移置されて、現在は北京中山公園に現存する。

［蘭亭八柱の内容］

第一本：虞世南摹蘭亭序幷乾隆帝題蘭亭八柱冊幷序
第二本：褚遂良摹蘭亭序
第三本：馮承素摹蘭亭序
第四本：柳公権書蘭亭詩幷孫綽後序
第五本：清内府常福勾塡戯鴻堂刻柳公権書蘭亭詩
第六本：于敏中補戯鴻堂刻柳公権書蘭亭詩闕筆
第七本：董其昌臨柳公権書蘭亭詩
第八本：乾隆帝臨董其昌臨柳公権書蘭亭詩幷跋

すべて故宮博物院提供

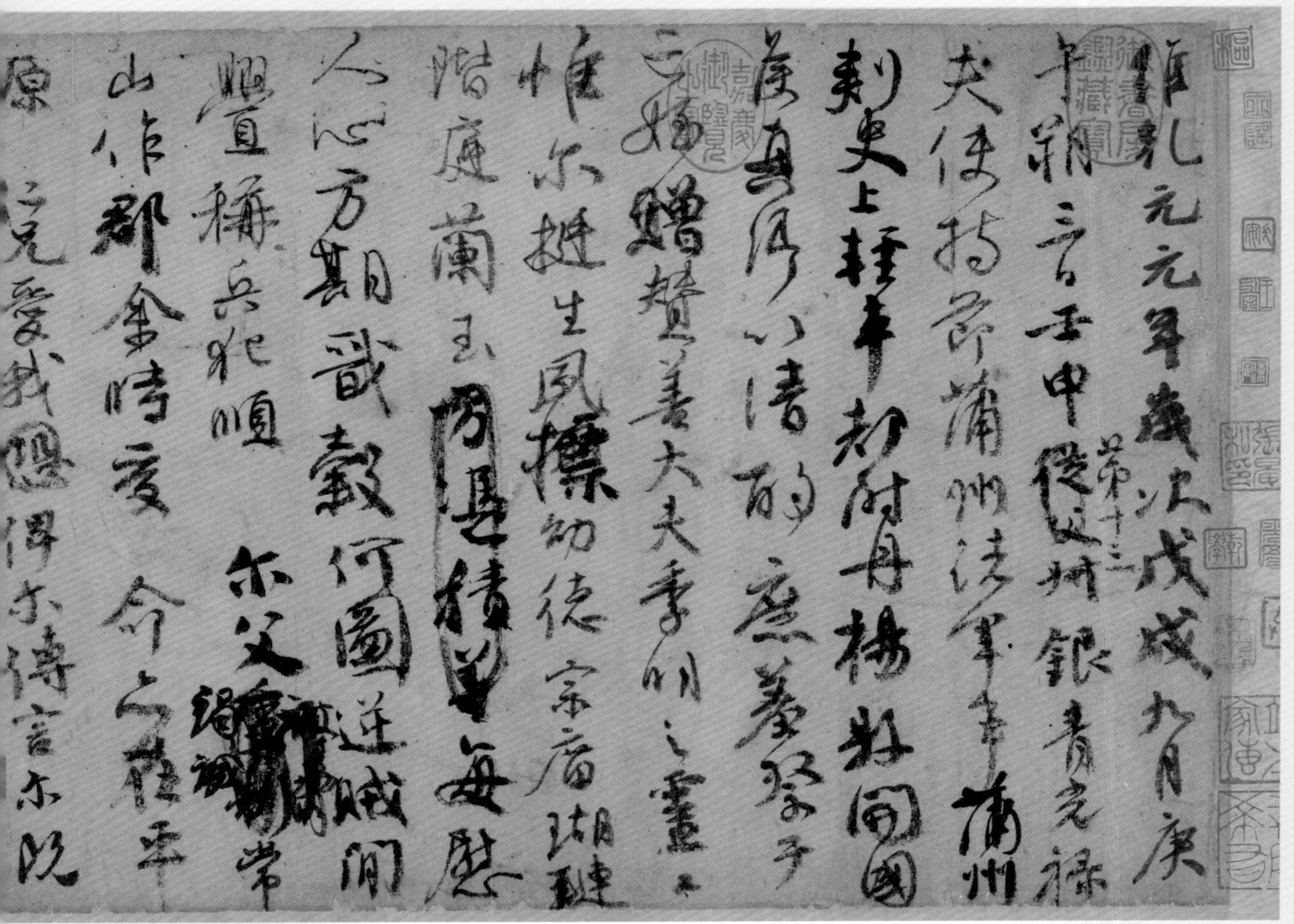

顔真卿「祭姪文稿巻」

紙本墨書　28.2×77.0cm
唐時代・乾元元年(758)
國立故宮博物院蔵

安史の乱で犠牲となった姪(厳密には従兄の子)の顔季明を追悼するため、顔真卿(709〜785)が50歳時に書写した祭文の草稿。宋の徽宗(1082〜1135)の宣和内府旧蔵。のちに入手した元の鮮于枢(1246〜1302)の跋文には「天下行書第二」と記され、天下第一と目されながらも真跡の伝わらない王羲之「蘭亭序」に匹敵する名跡として珍重されたことを物語る。清の乾隆期に再び内府に入り、乾隆帝の題辞(1786)と跋詩(1787)を付す。『石渠宝笈続編』「御書房」所収。

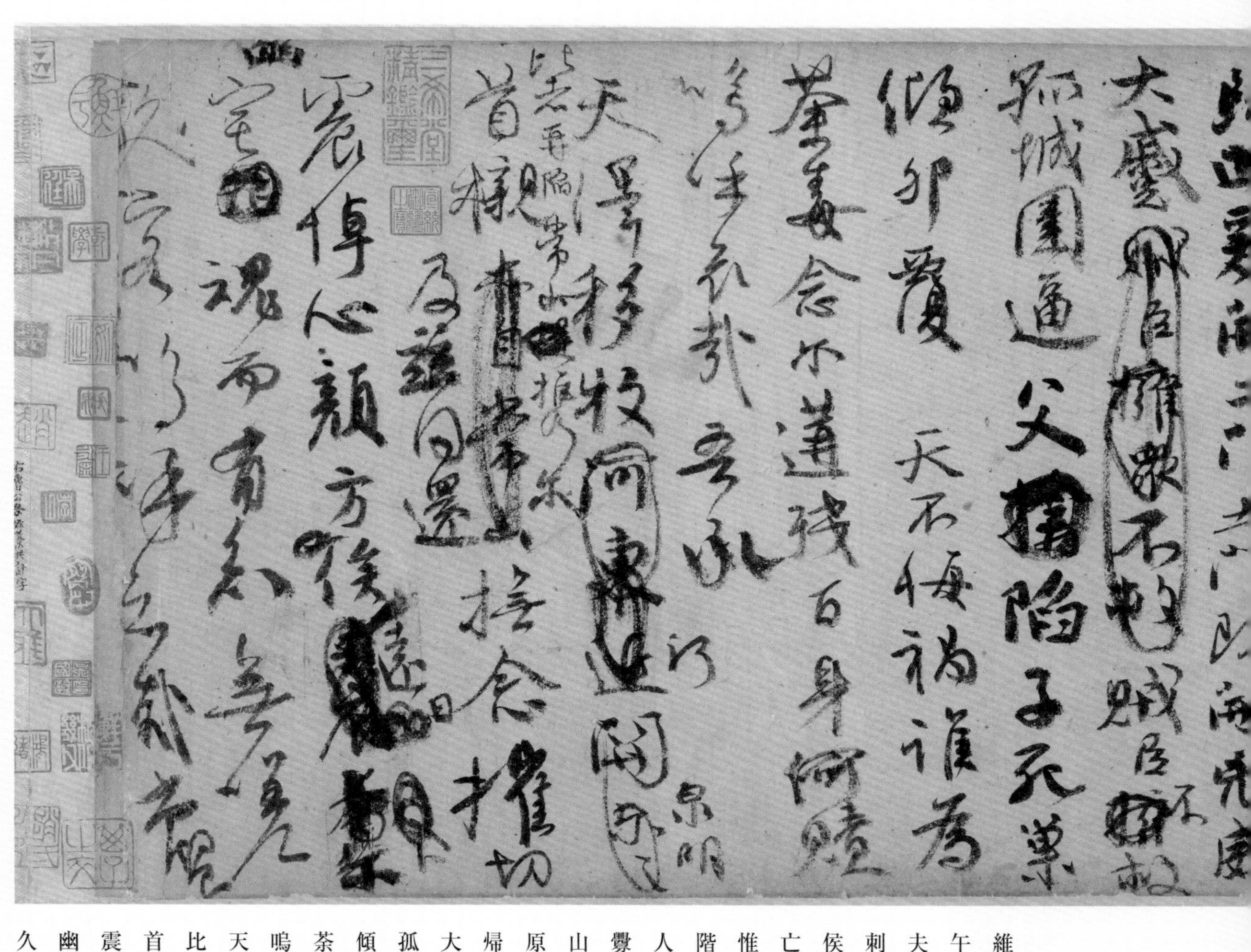

維乾元元年。歳次戊戌。九月庚
午朔三日壬申。（従父）第十三叔。銀青光禄〔大〕
夫・使持節蒲州諸軍事・蒲州
刺史・上軽車都尉・丹楊県開国
侯真卿。以清酌庶羞。祭于
亡姪贈賛善大夫季明之霊。
惟爾挺生。夙標幼徳。宗廟瑚璉。
階庭蘭玉。（方憑積善）每慰
人心。方期戩穀。何図逆賊間
釁。称兵犯順。爾父（□制）（被脅）竭誠。常
山作郡。余時受命。亦在平
原。仁兄愛我（恐）。俾爾伝言。爾既
帰止。爰開土門。土門既開。兇威
大蹙（賊臣擁衆不救）。賊臣（擁）不救。
孤城囲逼。父（擒）陥子死。巣
傾卵覆。天不悔禍。誰為
荼毒。念爾遘残。百身何贖。
嗚呼哀哉。吾承
天沢。移牧（河東近）河関。（爾之）泉明
比者。再陥常山。（提）携爾
首櫬。（亦自常山）及茲同還。撫念摧切。
震悼心顔。方俟（□□）遠日。（□）卜爾
幽宅（撫）。魂而有知。無嗟
久客。嗚呼哀哉。尚饗。

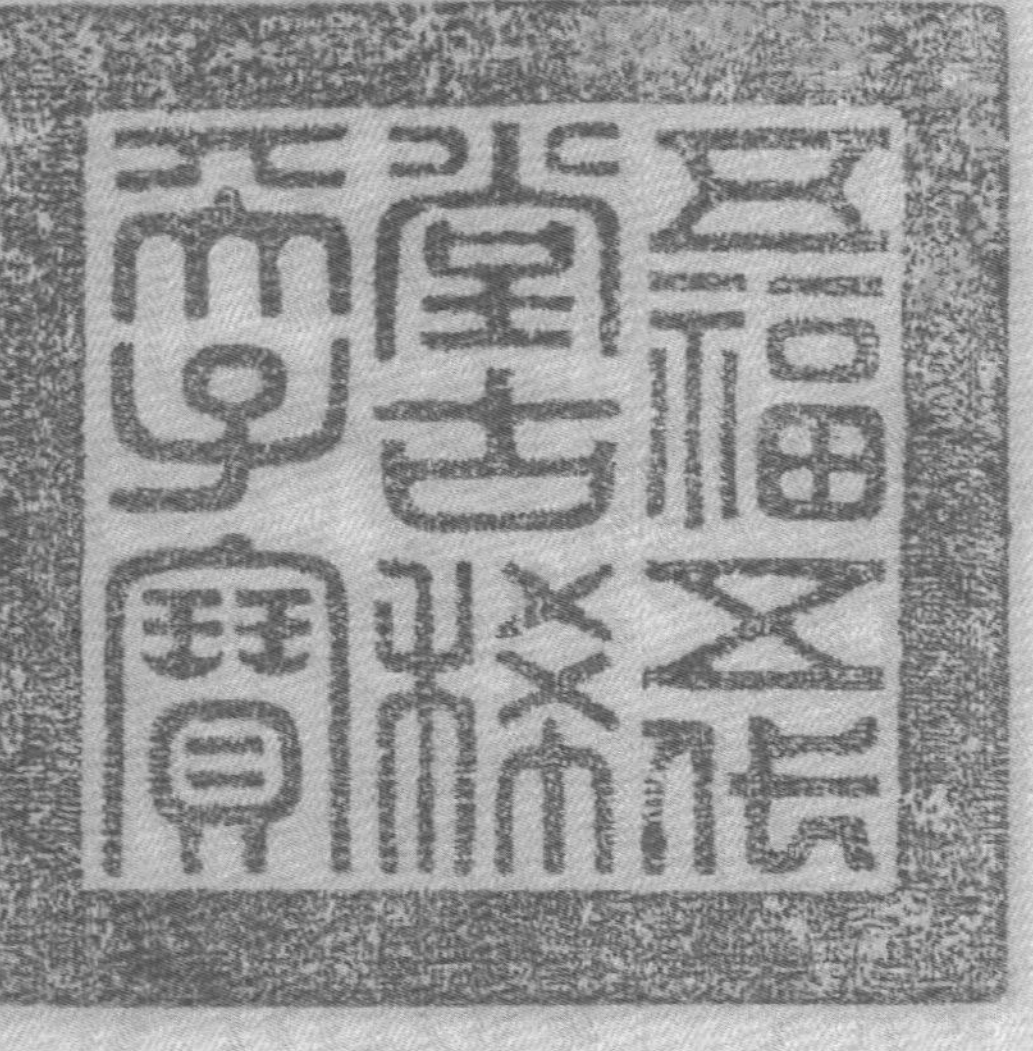

跋文（巻末）

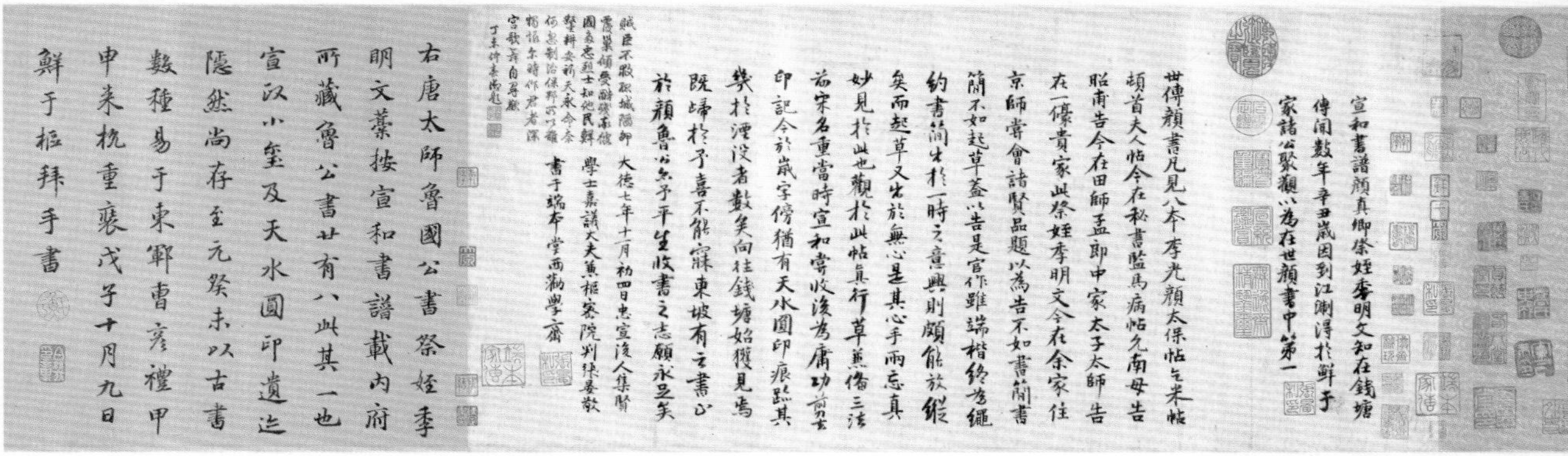
宣和書譜顔真卿祭姪季明文知在銭塘
傳聞數年辛丑歳因到江浙得於鮮于
家諸公聚觀以為在世顔書中第一

世傳顔書凡見八本李光顔太保帖乞米帖
頓首夫人帖今在秘書監馬病帖久南母告
昭甫告今在田師孟郎中家太子太師告
在一達貴家此祭姪季明文今在余家往
京師嘗會諸賢品題以為告不如書簡書
簡不如起草蓋以告是官作雖端楷終為繩
約書簡出於一時之意興則頗能放縱
矣而起草又出於無心是其心手兩忘真
妙見於此也觀於此帖真行草兼備三法
為宋名重當時宣和嘗收後為庸功前
印記今於歳字傍猶有天水圓印痕跡其
幾於湮沒者數矣向往銭塘始獲見焉
既歸於予喜不能寐東坡有云書必
於顔魯公云予平生收書之志願永足矣
書于端本堂西齋學齋

右唐太師魯國公書祭姪季
明文藁按宣和書譜載内府
所藏魯公書廿有八此其一也
宣政小璽及天水圓印遺迹
隠然尚存至元癸未以古書
數種易于東鄆曹彦禮甲
申来杭重装戊子十月九日
鮮于樞拜手書

乾隆内府の顔真卿コレクション

顔真卿「祭姪文稿巻」に付される乾隆帝の題辞「顔真卿祭姪文藁記」（一七八六）によれば、内府所蔵の顔真卿の真跡はもと四件あったという。『石渠宝笈』に収録された一件「建中三年朱巨川告身」と、当時『石渠宝笈続編』への収録が待たれた三件「自書告身」「建中元年朱巨川告身」「裴将軍詩」であった。また、これらとは別に一件「争座位帖」は贋鼎（偽物）に属し、『石渠宝笈』では「次等」に置かれ、珍重されなかったようである。そして、ここに「祭姪季明文藁」、すなわち「祭姪文稿巻」の一件を得た。乾隆帝は、一、二度披閲し、顔氏一家が身を捨て忠節を尽くしたことや、千年を経て世が激変するなかを「神物の守護」とでもいうように保存されてきたことに驚嘆したという。その書法については、「自書告身」「朱巨川告身」のような端荘（端正かつ荘厳）と「裴将軍詩」のような流麗を一つに合わせ、さらに無心を発露した書といい、内府所蔵の顔真卿コレクションのなかでもとりわけ高く評価する様子が窺える。

乾隆帝題辞（巻頭）

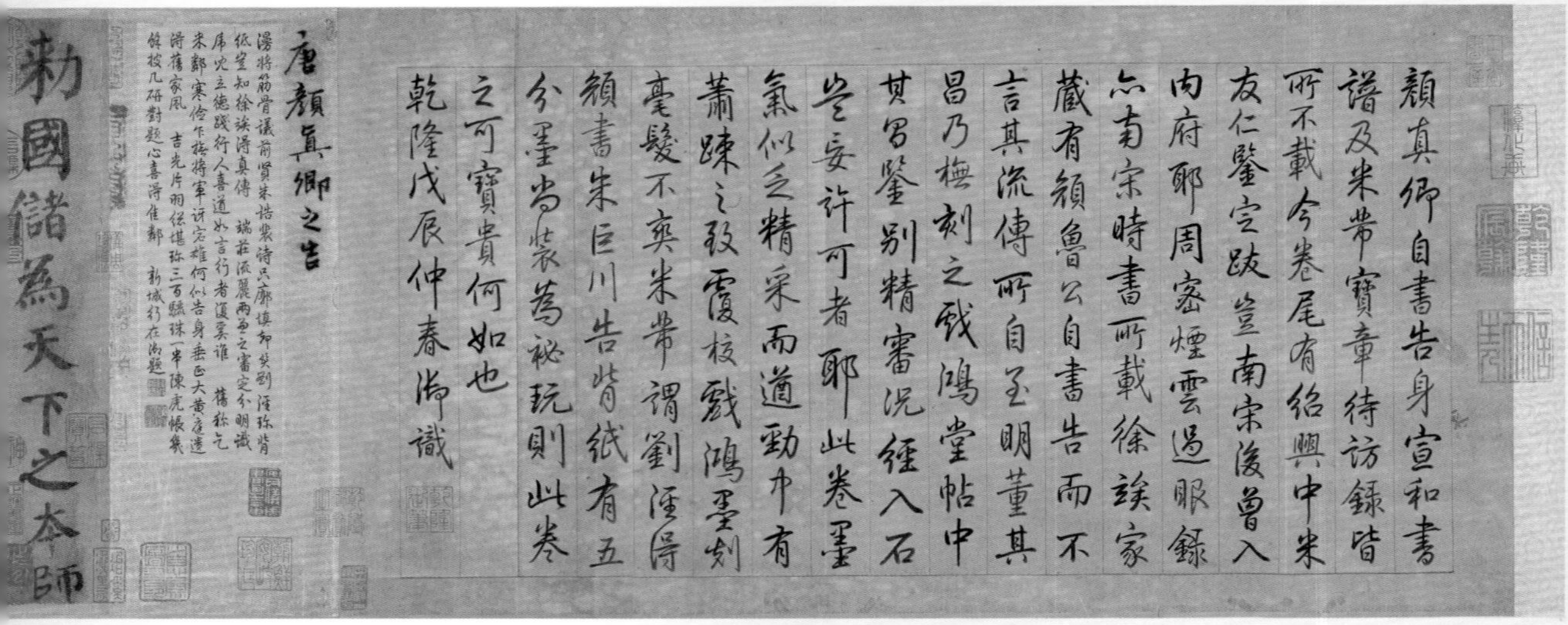

顔真卿「自書告身帖巻」

紙本墨書　29.6×220.4cm　唐時代·建中元年（780）
台東区立書道博物館蔵

顔真卿が晩年の72歳時に、吏部尚書から太子少師への転任を命ぜられた際の告身（辞令書）。顔真卿の自書と伝え、「自書告身帖」と称される。顔真卿筆の告身は、本作と建中元年の「朱巨川奏授告身」、同3年の「朱巨川勅授告身」が知られ、3件の真跡は清朝内府に所蔵された。本作は乾隆帝の題辞（1748）に「墨気は精彩に乏しいようだが、力強さのなかにさっぱりとした趣がある」と評される。『石渠宝笈続編』「淳化軒」所収。

本体、清宮製の箱と包裂

勅。国儲為天下之本。師導乃元良之教。将以本固。必由教先。非求忠賢。何以審論。光禄大夫・行吏部尚書・充

郵便はがき

恐縮ですが切手をお貼りください

170-0011

東京都豊島区池袋本町 3－31－15

(株)東京美術　出版事業部　行

毎月 10 名様に抽選で
東京美術の本をプレゼント

この度は、弊社の本をお買上げいただきましてありがとうございます。今後の出版物の参考資料とさせていただきますので、裏面にご記入の上、ご返送願い上げます。
なお、下記からご希望の本を一冊選び、○でかこんでください。当選者の発表は、発送をもってかえさせていただきます。

もっと知りたい葛飾北斎［改訂版］
もっと知りたい上村松園
もっと知りたいミレー
もっと知りたいカラヴァッジョ
もっと知りたい興福寺の仏たち

すぐわかる日本の美術［改訂版］
すぐわかる西洋の美術
すぐわかる画家別 西洋絵画の見かた［改訂版］
すぐわかる作家別 写真の見かた
すぐわかる作家別 ルネサンスの美術
すぐわかる日本の装身具

てのひら手帖【図解】日本の刀剣
てのひら手帖【図解】日本の仏像
演目別 歌舞伎の衣裳 鑑賞入門
吉田博画文集
ブリューゲルとネーデルラント絵画の変革者たち
オットー・ワーグナー建築作品集
ミュシャ スラヴ作品集
カール・ラーション
フィンランド・デザインの原点
かわいい琳派
かわいい浮世絵
かわいい印象派

お買上げの本のタイトル（必ずご記入ください）

フリガナ
お名前　　年齢　　歳（男・女）

ご職業

ご住所
〒　　（TEL　　）

e-mail

●この本をどこでお買上げになりましたか？

書店／　　美術館・博物館

その他（　　）

●最近購入された美術書をお教え下さい。

●今後どのような書籍が欲しいですか？　弊社へのメッセージ等もお書き願います。

●記載していただいたご住所・メールアドレスに、今後、新刊情報などのご案内を差し上げてよろしいですか？　□ はい　□ いいえ

※お預かりした個人情報は新刊案内や当選本の送呈に利用させていただきます。原則として、ご本人の承諾なしに、上記目的以外に個人情報を利用または第三者に提供する事はいたしません。ただし、弊社は個人情報を取扱う業務の一部または全てを外部委託することがあります。なお、上記の記入欄には必ずしも全て答えて頂く必要はありませんが、「お名前」と「住所」は新刊案内や当選本の送呈に必要なので記入漏れがある場合、送呈することが出来ません。

個人情報管理責任者：弊社個人情報保護管理者

※個人情報の取扱に関するお問い合わせ及び情報の修正、削除等は下記までご連絡ください。

東京美術出版事業部　電話 03-5391-9031　受付時間：午前 10 時～午後 5 時まで（土日、祝日を除く）

勅國儲為天下之本師
導乃元良之教將以
本固必由教先非求中
賢何以審諭光祿大
夫行吏部尚書充禮

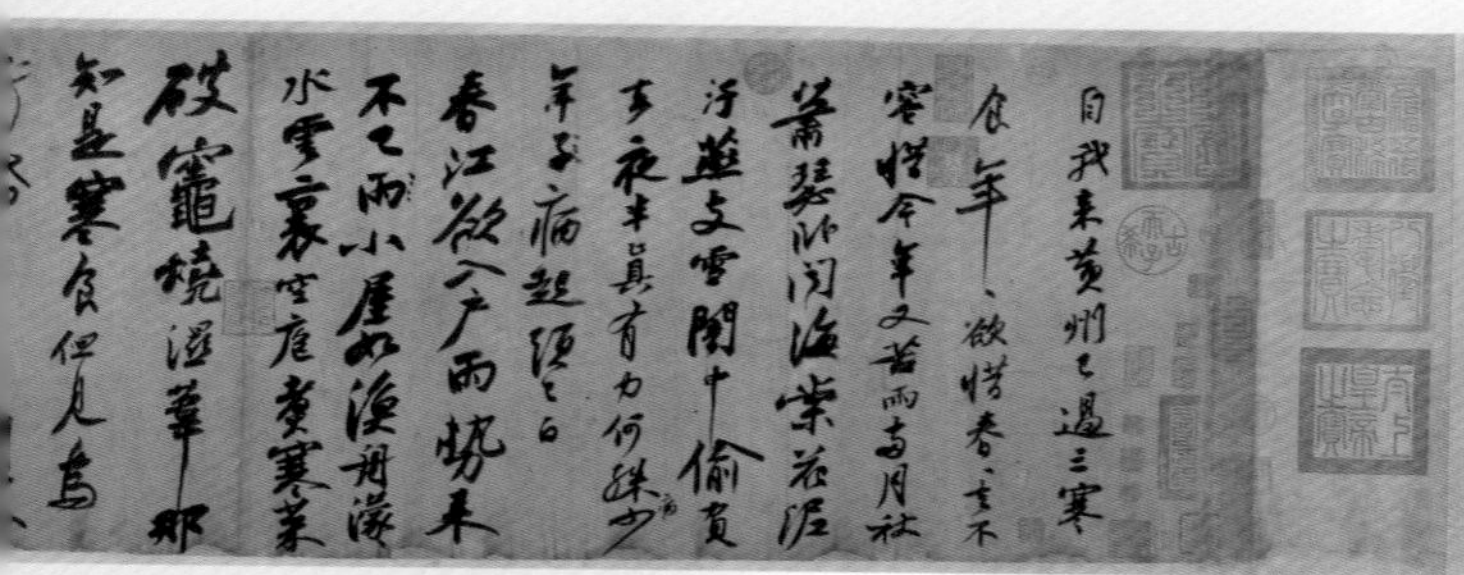

蘇軾「黄州寒食詩巻」

紙本墨書　34.2×199.5cm　北宋時代・元豊5 年(1082)頃　國立故宮博物院蔵

筆禍で投獄され、元豊3年(1080)には黄州(湖北省)に流謫された蘇軾(1036～1101)が、当地で3度目の寒食節(冬至から105日目。火の使用を禁じて作り置きの冷めた料理を食べる風習)を迎え、感懐を吐露した五言古詩2首を行草書で書写した一巻。蘇軾47歳頃の作で、黄庭堅(1045～1105)が跋文で激賞するように、蘇軾の代表作として名高い。宋元明と名家、内府を流転し、清の孫承沢らの手を経て、乾隆内府の所蔵となった。乾隆帝は内題簽、題字、跋文(1748)を付し、乾隆八璽などの鑑蔵印を捺し、『三希堂法帖』(1750)に刻入した。『石渠宝笈続編』「寧寿宮」所収。

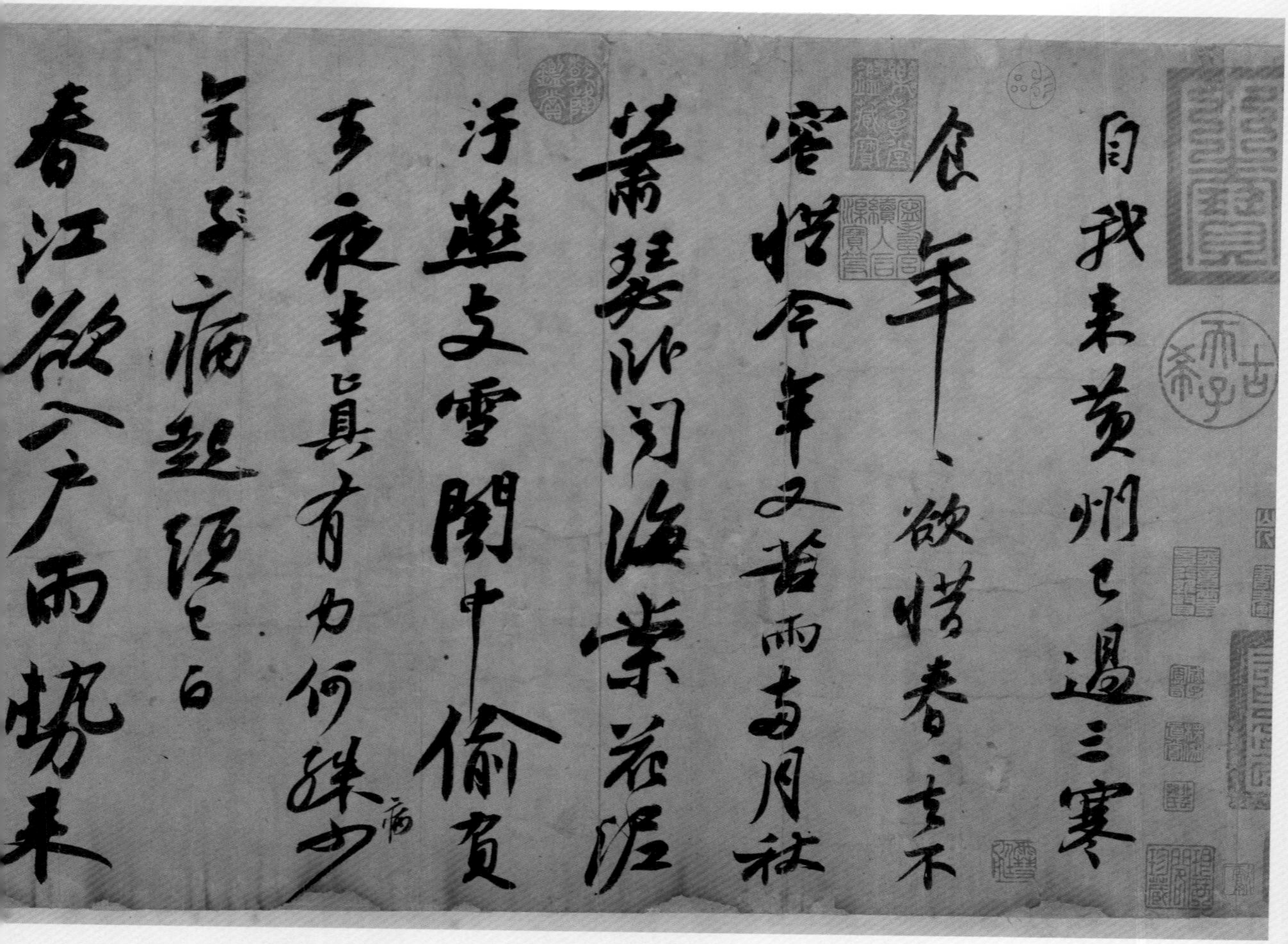

本紙冒頭

自我来黄州。已過三寒
食。年年欲惜春。春去不
容惜。今年又苦雨。両月秋
蕭瑟。臥聞海棠花。泥
汚燕支雪。闇中偸負
去。夜半真有力。何殊病少
年。（子）病起頭已白。
春江欲入戸。雨勢来

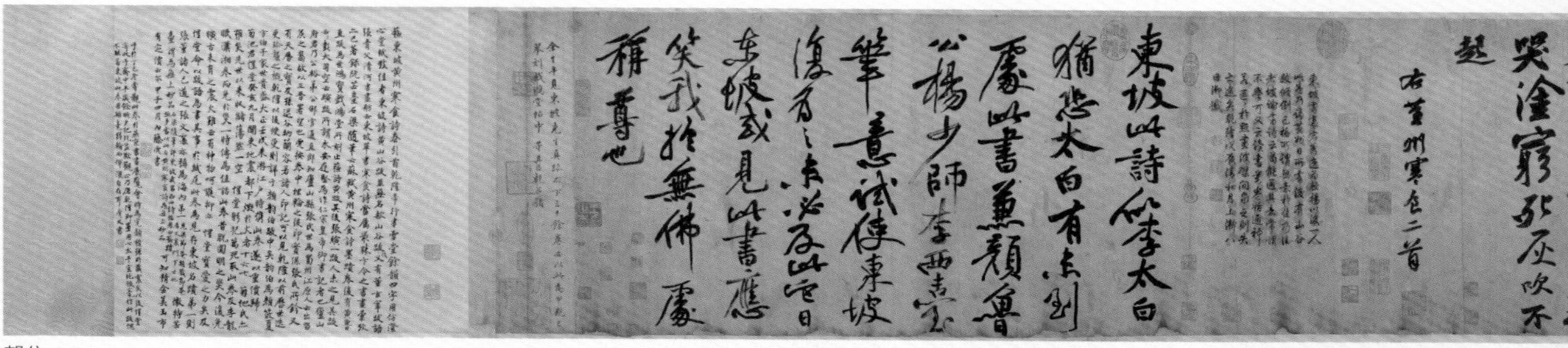

部分

内藤湖南跋文

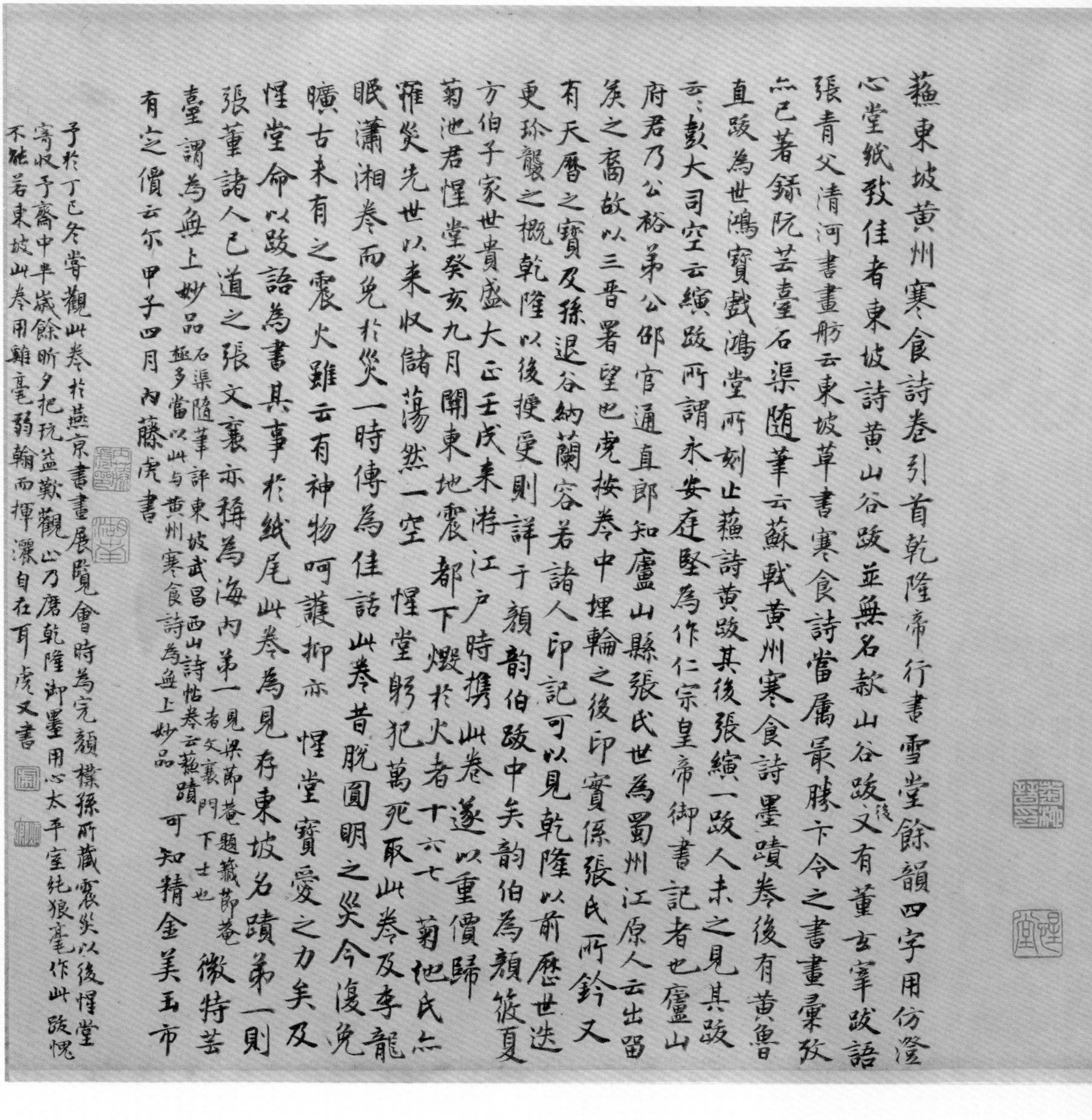

「黄州寒食詩巻」は、清末民国期には再び民間に出て、一時期日本に舶載された。菊池惺堂（一八六七～一九三五）所蔵時に関東大震災に遭遇、「瀟湘臥遊図巻」（東京国立博物館蔵、56頁）等とともに菊池が身を挺して火災から救出し、焼失を免れた。内藤湖南（一八六六～一九三四）がこの顛末を跋文に記している。

黄庭堅「松風閣詩巻」

彩箋墨書　32.8×219.2cm　北宋時代・崇寧元年（1102）　國立故宮博物院蔵

宋の四大家の一人、黄庭堅（1045～1105）が58歳の時、鄂州（湖北省）の樊山に遊んだ際に、松林にある楼閣に「松風閣」と題して詠んだ七言古詩を書写した一巻。松風閣での交遊を綴り、旧友に思いを馳せて現実の束縛から脱したいと胸臆を吐露する。黄庭堅晩年の行楷書の代表作であり、瓜などの図様を摺り出した風雅な羅紋砑花箋が用いられる（47頁下図）。南宋の賈似道、元の公主（皇帝の娘）祥哥剌吉（セング・ラギ）、明の項元汴、清の孫承沢らを遞伝し、清朝内府の有に帰した。『石渠宝笈続編』「御書房」所収。

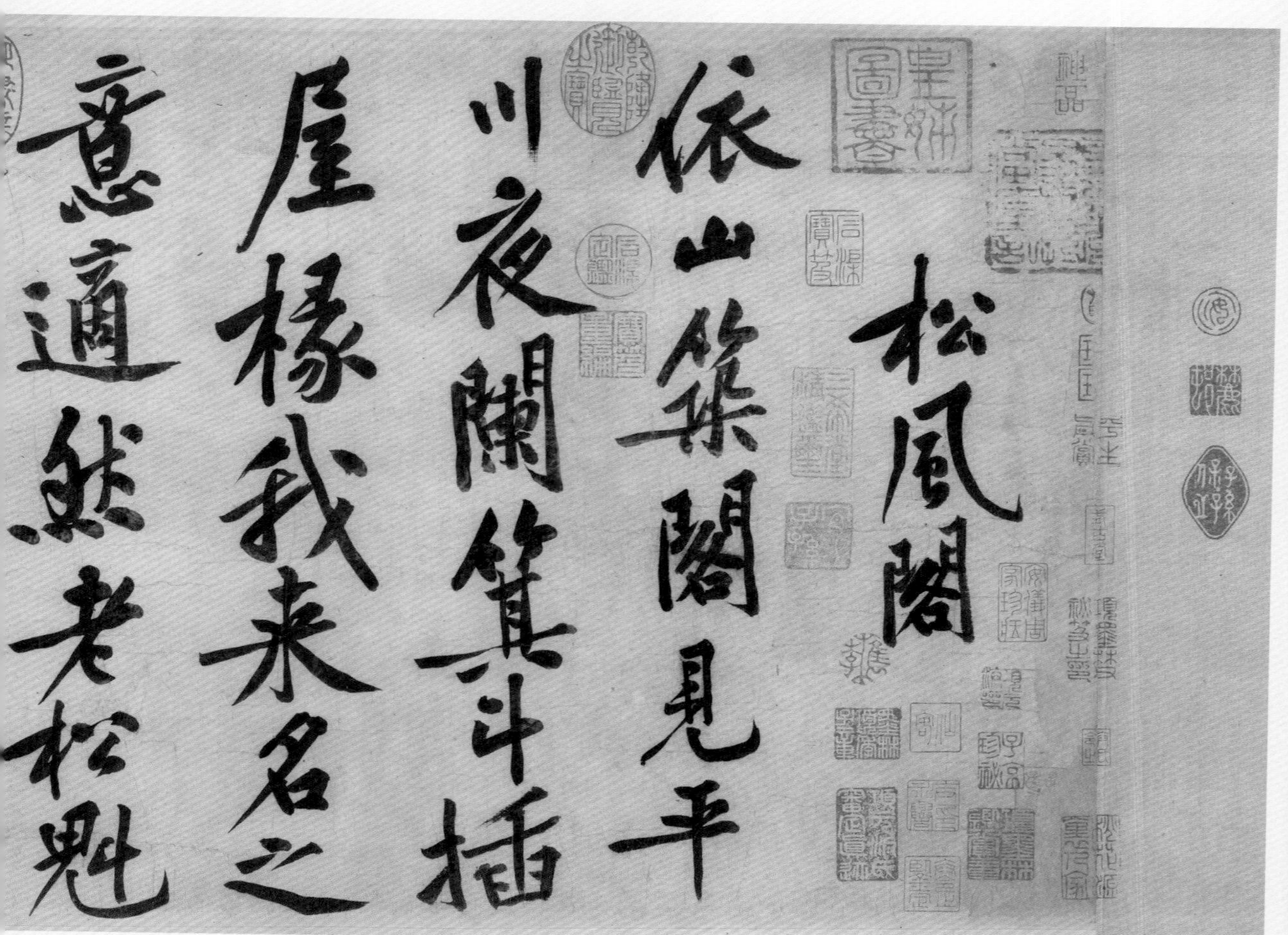

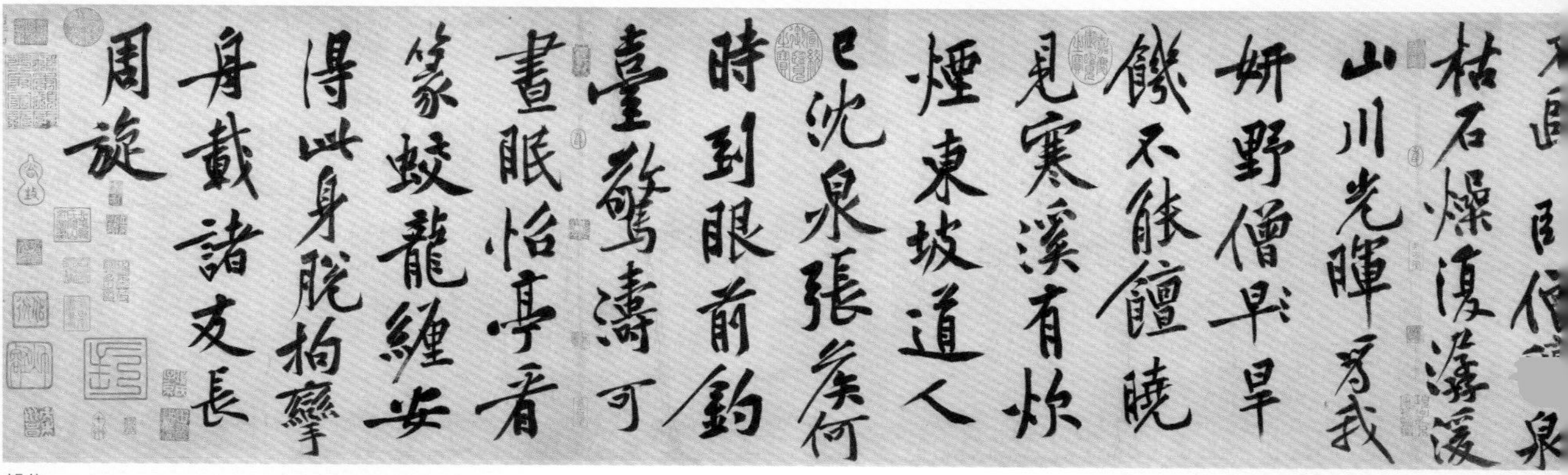

部分

松風閣。
依山築閣見平
川。夜闌箕斗挿
屋椽。我来名之
意適然。老松魁
梧数百年。斧
斤所赦今参天。
風鳴媧皇五十

本紙冒頭

文人と書の料紙

北宋の蘇易簡は『文房四譜』の序で、筆硯紙墨は学問に資するとして片時も欠かせないという。紙は、文人の書斎で重宝された文房四宝の一つとされてきた。隋唐以降、実用性と芸術性を兼ね備えた加工紙が生産される。黄蘗染めをして蜜蝋を塗布して磨き上げた硬黄紙は、滑らかで艶があり保存にも適し、写経や模写に使用された。硬黄紙の最高峰、北宋の金粟山蔵経紙は後世の書画家や収蔵家にも珍重された。一方、南唐後主の李煜が造らせた澄心堂紙は、北宋文人の間で第一の名紙とされ、当時すでに入手困難であったようだ。また宋以降には、版刻された凹凸の図様を摺り出す、風雅な砑花箋も流行した。良質で美しい紙を求める文人の志向は、製紙加工の発展を促したのである。清朝では、製紙の監督部署、官紙局を内廷に設置し、各地の名匠に最高品質の皇帝御用品や官用品を献上させ、多種多様な料紙が製作された。他の文物と同様に、古典的な作品の仿製も尊重され、乾隆内府製の仿金粟山蔵経紙など、名紙の仿古品が現存する。蘇軾「黄州寒食詩巻」の乾隆帝題字の料紙（44頁上図）もまた、内藤湖南跋で指摘されるように仿澄心堂紙が用いられる。

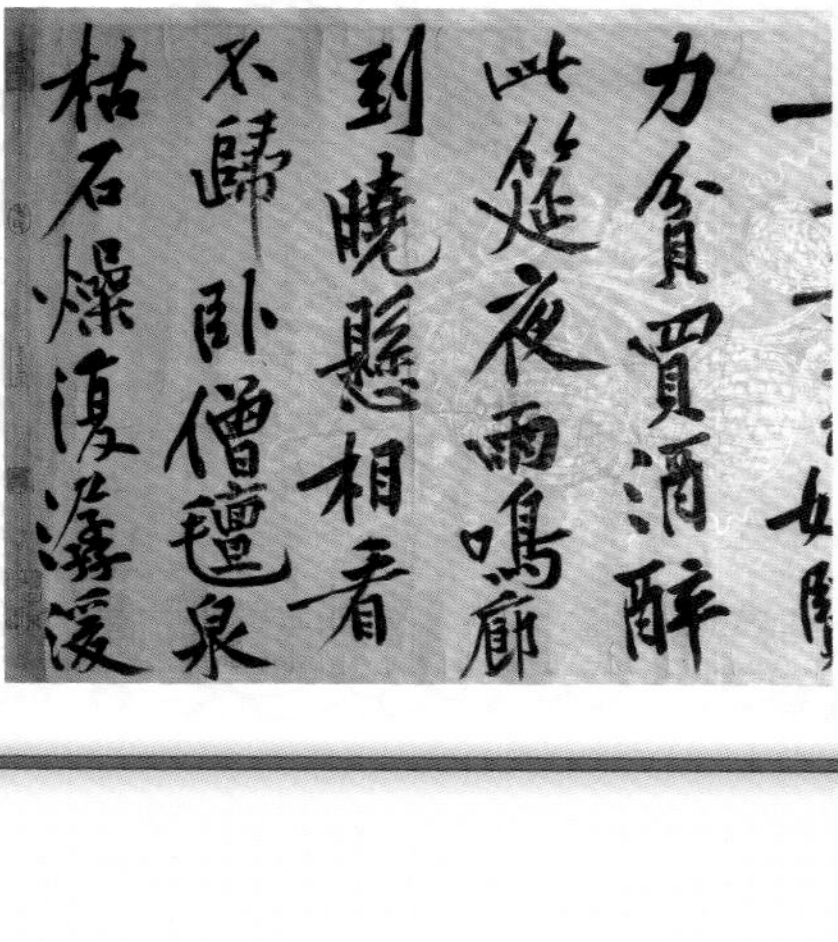

本紙の紋様（斜光画像）

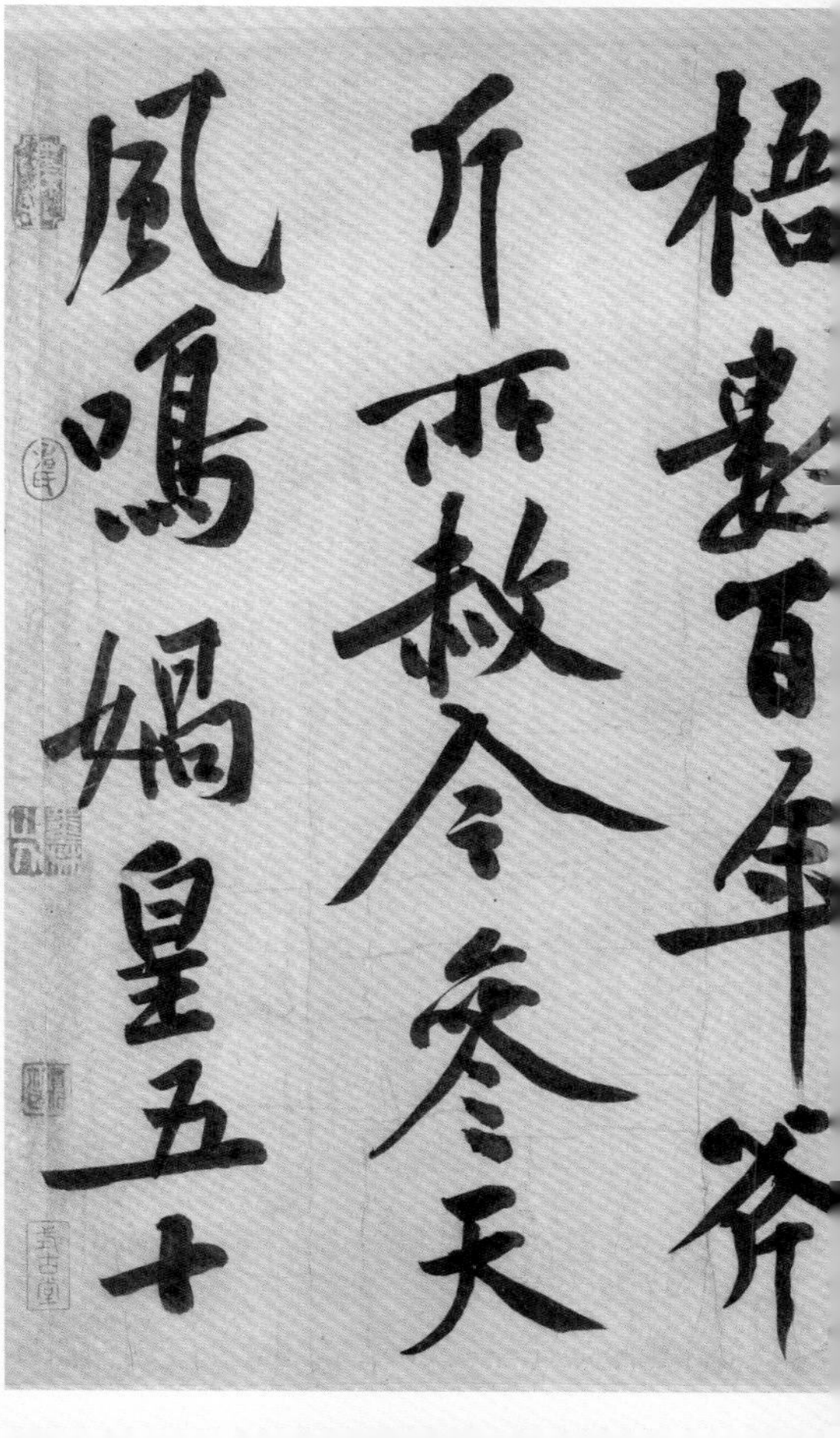

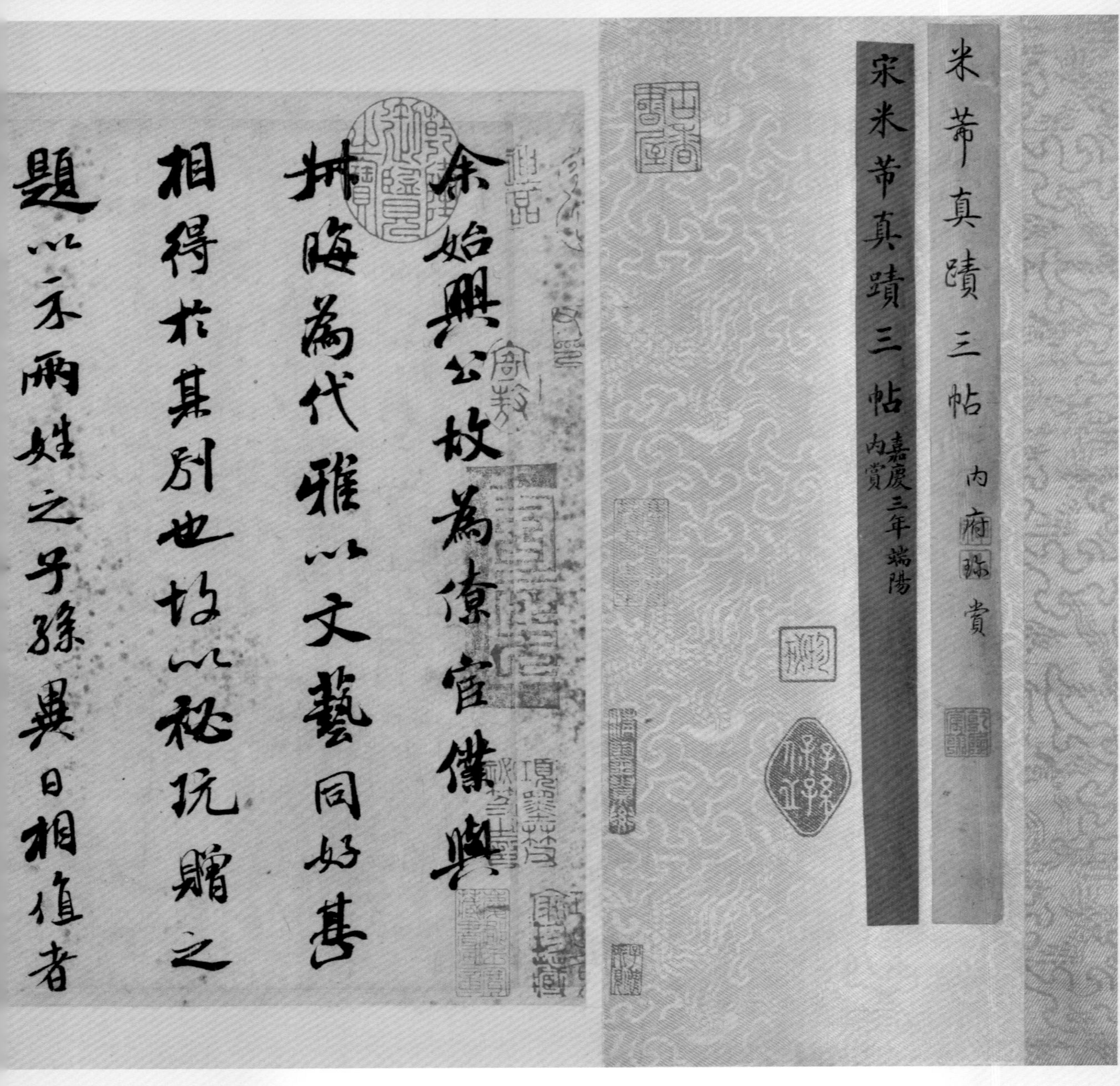

余始興公故為僚宦。僕与
叔晦為代。雅以文芸同好甚
相得。於其別也。故以秘玩贈之。
題以示両姓之子孫。異日相値者。
襄陽米黻元章記。
叔晦之子。道奴。徳奴。慶奴。
僕之子。鼇児。洞陽。三雄。
（叔晦帖）

李太師収晋賢十四
帖。武帝王戎書若
（李太師帖、部分）

米芾「行書三帖巻」

紙本墨書
叔晦帖：24.5×29.9cm
李太師帖：26.0×34.5cm
張季明帖：25.8×31.3 cm
北宋時代・11～12世紀
東京国立博物館蔵

宋の四大家の一人、米芾（1051～1107）の書跡3帖を合装した書巻。同好の士余叔晦に宛てた「叔晦帖」、李瑋所蔵の晋賢十四帖中の書を論じた「李太師帖」、入手した張旭の秋深帖を評価した「張季明帖」からなる。明清の名家を逓伝し、乾隆年間に内府所蔵となった。乾隆八璽などの璽印が捺され、乾隆、嘉慶の各内府による内題簽と「乾隆御簽　米芾真跡三帖」の銘が入った爪などが設えられた。『石渠宝笈続編』「淳化軒」所収。巻末に犬養木堂（1855～1932）、内藤湖南らが跋文を付す。

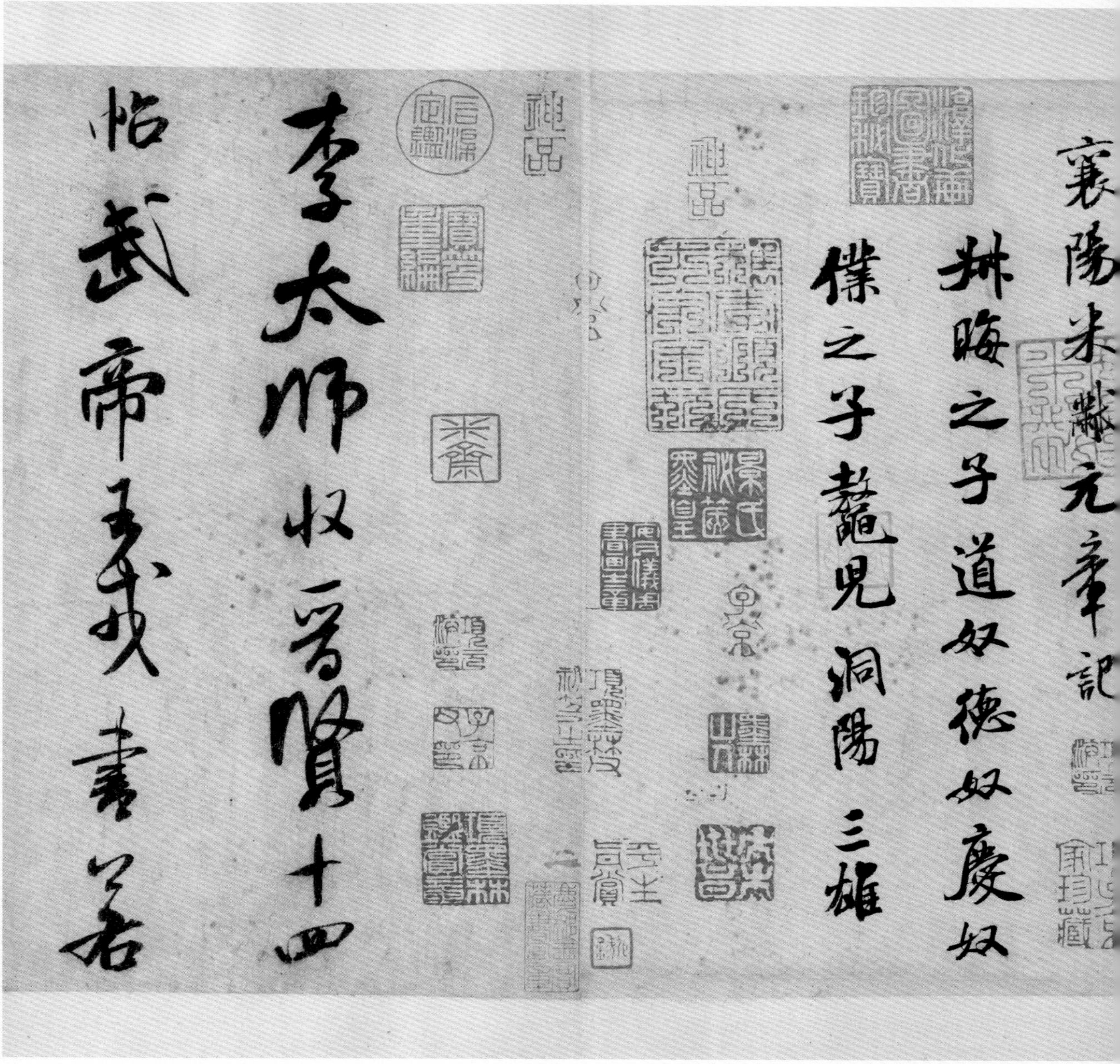

襄陽米黻元章記
耕晦之子道奴德奴慶奴
僕之子麓兒洞陽三雄
李太師收晉賢十四
帖武帝王戎書若

部分

清宮製の爪と旧紐

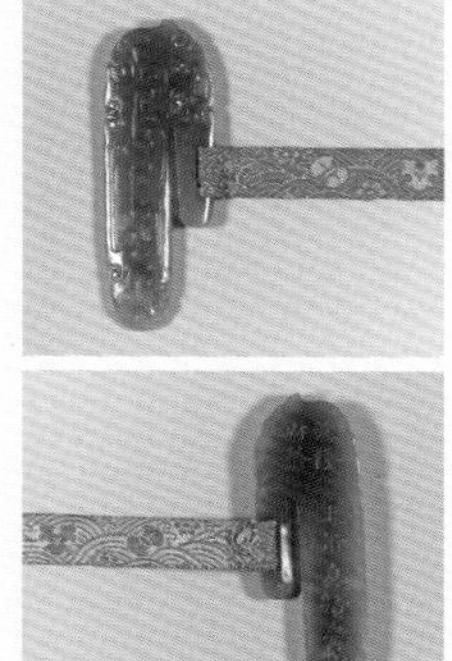

内藤湖南跋文（巻末）

白林山莊木堂大藏

米南宮書蹟取諸家之長以成一家然得力小王
尤多故其規撫小王者殊饒神味余所目睹真
跡元日等帖多出于大王龍舞鳳翥極飛
動之態然猶有刻意取姿之痕至於此巻李
太師秋深二帖則無意摹古而自然超妙
置之子敬帖中孰能辨之董玄宰云米海
岳行草書与晋人爭道馳驅其平生所
自負者為小楷貴重不肯多寫以故罕見其
蹟余見向太后挽詞知董評信然此巻耕晦
帖雖比挽詞字較大而氣味相似出於永師
永興間不拘拘於二王之迹駿發秀媚可稱
無雙此巻項墨林跋及安麓邨録皆稱三
帖而卞氏彙考則云行書四段秋深帖後
更有倒余揭諦呪三十餘字余謂倒余呪
瀉雅殊甚未必米老自寫且卞氏此巻由
汪氏珊瑚綱入録其誤寫處並同汪氏殆未
目睹真[illegible]卞考注之由他書入録翁覃溪已道之矣 原田君持此巻来
示留齋中數手周歳今當完趙依依有
別故友之想也昭和四年九月内藤虎

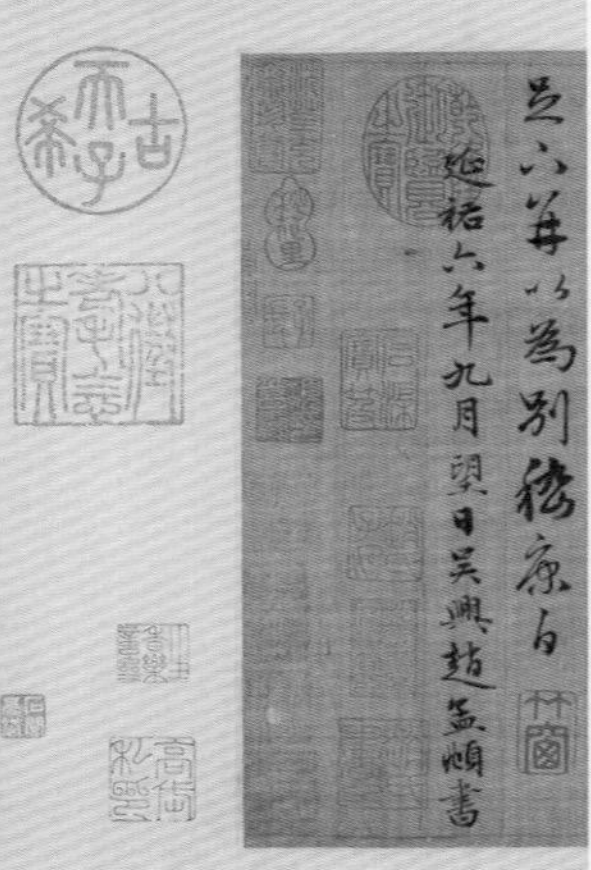

趙孟頫「嵆康絶交書巻」

絹本墨書　21.8×254.7cm

元時代·延祐6年（1319）

故宮博物院蔵

竹林の七賢に数えられる嵆康（223～262）の名文「与山巨源絶交書」を、元の趙孟頫（1254～1322）が最晩年の66歳時に、草·行·楷·章草の筆法を交えて書写した1巻。乾隆帝が自らの識語を、寵臣の曹文埴（1735～98）に命じて書写させた跋文によれば、趙は「絶交書」を好んで書写し、内府でも本作を含む3巻を得たという。いわゆる乾隆五璽や「重華宮鑑蔵宝」をはじめとする、乾隆帝、嘉慶帝の璽印が捺される。『石渠宝笈』附「翠雲館」所収。

本紙冒頭

嵇叔夜与山巨源絶交書。
康白。足下昔称吾於穎川。吾嘗
謂之知言。然経怪此意。尚未熟
悉於足下。何従便得之也。前年
従河東還。顕宗阿都説足下。議
以吾自代。事雖不行。知足下不知。
足下傍通。多可而少怪。吾直性狭
中。多所不堪。偶与足下相知耳。
間聞足下遷。惕然不喜。恐足下羞
庖人之独割。引尸祝以自助。手薦
鸞刀。漫之羶腥。故具為足下陳
其可否。吾昔読書。得并介之人。

趙孟頫書法と乾隆帝

漢民族王朝である宋の皇族出身で、モンゴル人が統治する異民族王朝の元に仕え、漢民族の伝統文化の護持に尽力した趙孟頫。書では王羲之書法を尊重する復古主義を唱導したことで知られる。その趙が最晩年に新たな書法を試行したと指摘される作例が、この「嵇康絶交書巻」である。草書、行書の個別の文字は王法を基調とするが、楷書、章草を含む四種の書体を一巻に混用する書法は独創的で、王法からの展開とも解釈しえる。本巻は乾隆内府に入り、『石渠宝笈』附に書巻上等で収録された。乾隆十四年（一七四九）仲冬には、三十九歳の乾隆帝が臨書し、「呉興（趙孟頫）が書写した本巻は、筆法が直ちに右軍（王羲之）を追う。今、偶々宋の牋紙を得て、臨書して縮本となす」などと記す（「御臨趙孟頫書嵇康絶交書」『石渠宝笈続編』「淳化軒」）。趙孟頫書法のなかでは比較的、王法から展開した位置にあるとみられる本巻に対しても、乾隆帝は王法を規範とする筆法に重きを置き、その点を積極的に評価しているようである。趙孟頫書法の愛好者としても知られる乾隆帝は、趙の王法の継承者たる一面をとりわけ尊重していたことが指摘されている。

すべて故宮博物院提供

歳月豈易考。書法但
増慕。摩挲復三歎。欲
去還未住。習気未掃
除。歯髪恨遅暮。華
亭鶴自帰。長江只東
注。寂寥千古意。落日
起煙霧。
淳熙甲辰上元前三日。

董其昌「雑書冊」

紙本墨書
26.1×29.6cm
明時代·17世紀
國立故宮博物院蔵

芸林百世の師と称えられた明末の董其昌（1555～1636）の書跡3帖を合装した書冊。南宋、呉琚の五言古詩を臨書して識語を付した3開（1611）と、南朝宋、鮑照の五言古詩を書写した1開、張孝祥と阮閲の宋詞2篇を書写した3開よりなる。「上上真跡神品」と評す外題簽、題字、跋文、董其昌「倣米友仁山水図」を法とした山水図はいずれも乾隆帝の書写で、評価の高さと賞玩ぶりが窺える。『石渠宝笈』附「長春書屋」所収。

乾隆帝題字「群鴻戲海」（帖首）

乾隆帝跋文・山水図（帖末）

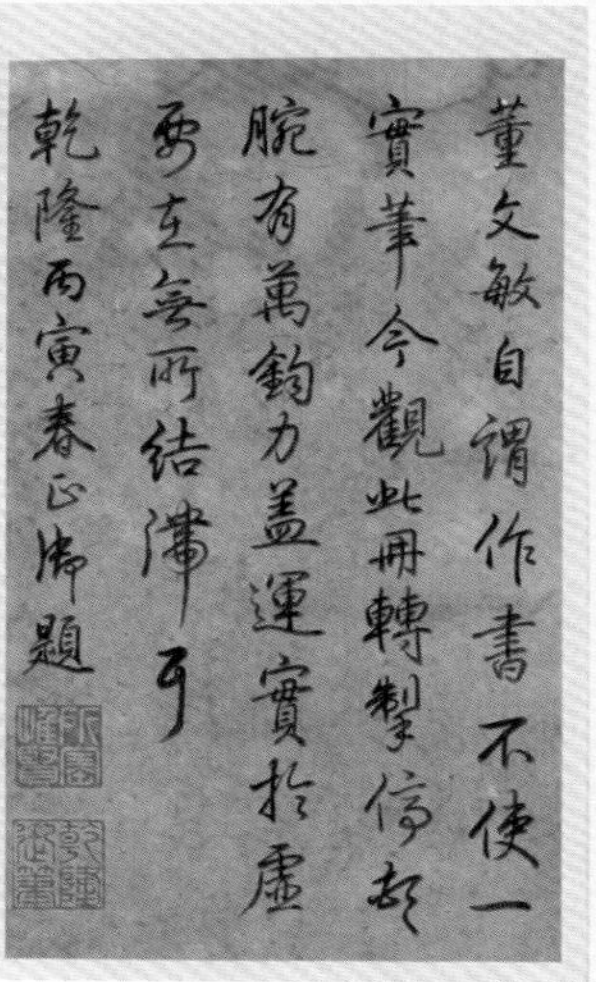

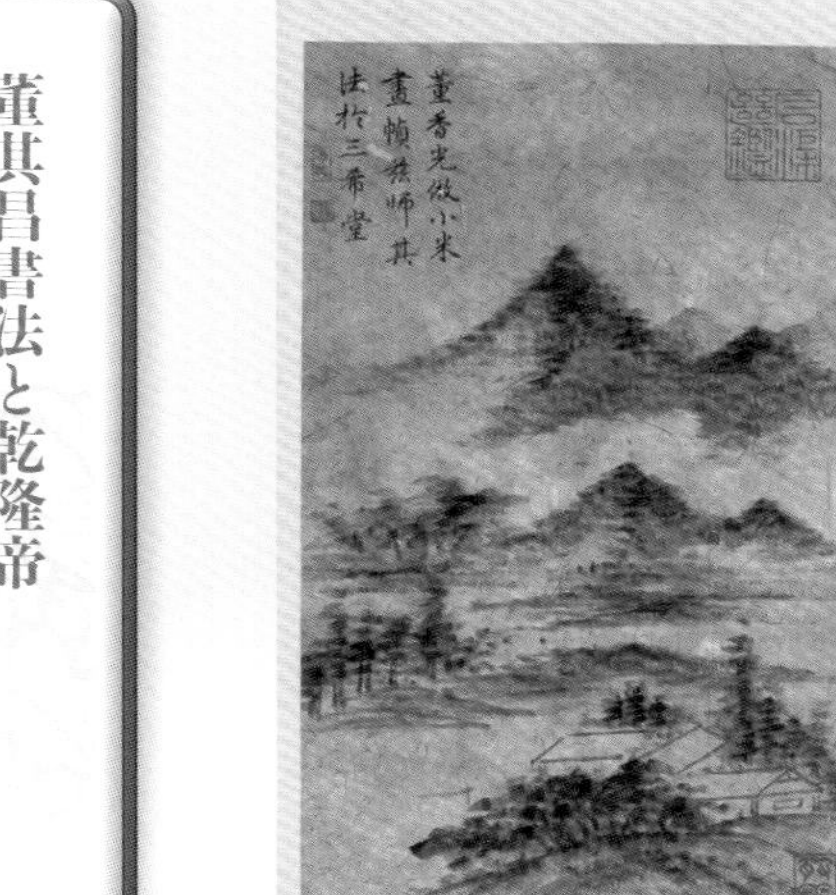

董其昌書法と乾隆帝

董其昌は、天真爛漫の境地を理想に掲げ、王羲之ら魏晋の書法への習熟ののちに、作意を排する率意の書を尊重した。董其昌「雑書冊」は、帖首に乾隆帝の題字「群鴻戯海」を付す。梁の武帝「古今書人優劣評」では、魏の鍾繇の書を「雲鵠が天に游び、群鴻が海に戯れるようだ」と評しており、乾隆帝は本帖を鍾繇の書法に重ねたのかもしれない。一方、董其昌「孝経」（一六三二）を、四十九歳時（一七五九）の乾隆帝が臨書した款記には、「董の書は初めに平原（顔真卿）を学び、晩年に山陰（王羲之）の堂奥を得る。故に字体は遒婉を兼ね備える」「本書の書写時、董は既に七十七歳で、いわゆる漸老漸熟の天真爛漫の境地であったのだろうか」などと評す（『御臨董其昌書孝経』『敬勝斎法帖』巻二十七、同『石渠宝笈続編』『養心殿』）。すなわち乾隆帝は、董が顔真卿と王羲之の両書法に熟達したからこそ、力強さとしなやかな美しさを兼ね備える優れた書に至ったのだと評価し、本書の書法に天真爛漫の理想の境地を想像した。董其昌書法においては、顔真卿や鍾繇ら王羲之以外の影響の大きさをも、乾隆帝は重視していた様子が窺えるのである。

皇帝のコレクション 絵画

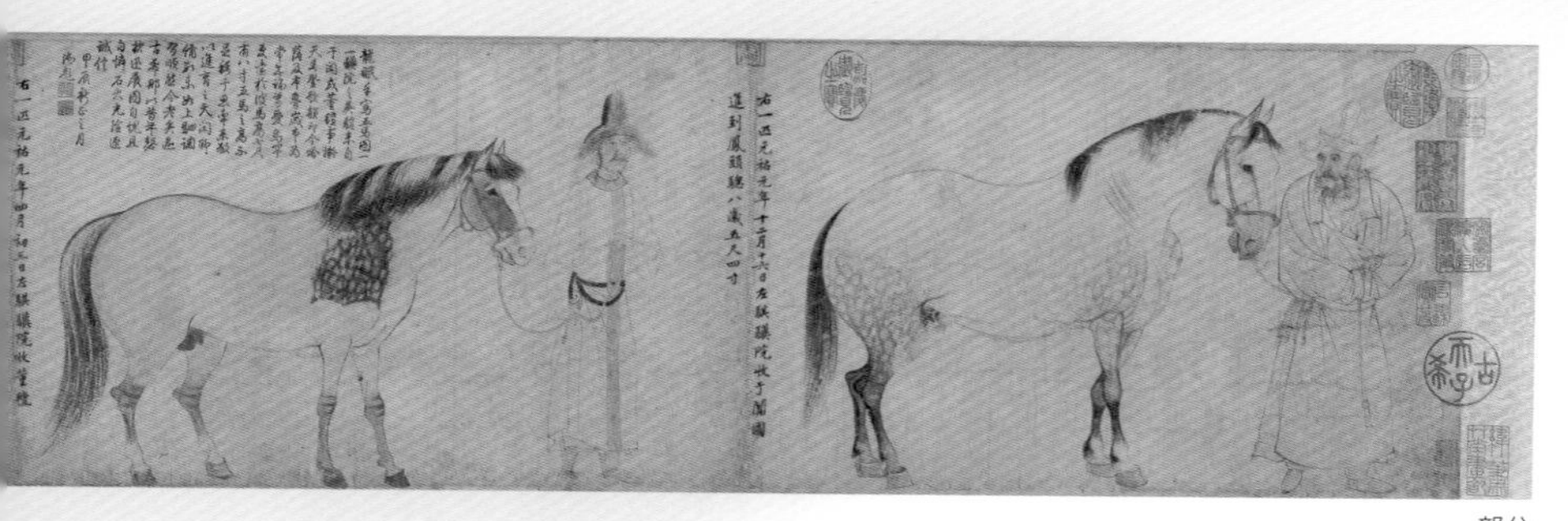

部分

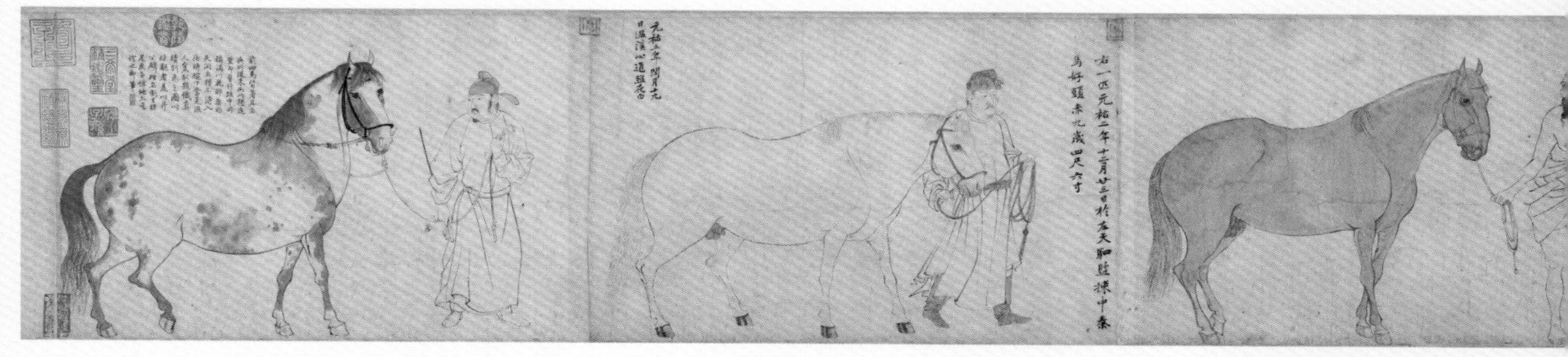

李公麟「五馬図巻」

紙本墨画淡彩　28.1×259.0cm　北宋時代・11世紀　東京国立博物館蔵

北宋・元祐元年(1086)から3年(1088)にかけて西域から献上されたという5頭の名馬を描く。李公麟(1049頃～1106)は、北宋を代表する文人画家で、馬の画の名手としても知られる。対象の真に鋭く迫る本図は、李公麟の代表作と喧伝されてきた。画のうしろには、有名な文人、黄庭堅(1045～1105)、曽紆の跋が続く。『石渠宝笈続編』「寧寿宮」所収。乾隆帝も、巻頭の題および画中二か所の跋を寄せる。

皇帝と西域の名馬

馬は、古代中国において軍事力の象徴であり、名馬を多く所有することは皇帝の権威の象徴ともなった。名馬の産地としては、古来西域が有名である。前漢の時代、紀元前二世紀に中央アジアからもたらされた駿馬は、「汗血馬」と呼ばれ、漢の武帝(前一五六～前八七)を大いに喜ばせた。また、唐の太宗(五九八～六四九)が、天下統一の際に自身が騎乗した愛馬六頭を石彫に表わして顕彰したこともよく知られている。「五馬図巻」に描かれた于闐(ホータン)や吐蕃(チベット)産の名馬たちにも、これらを献上された北宋の皇帝の治世を寿ぐ意味合いが投影されたのかもしれない。

およそ七百年後に本巻を入手した乾隆帝は、自分の時代には哈薩克(カザフ)や布魯特(キルギス)、愛烏罕(アフガン)から、「五馬図巻」の馬たちに勝るとも劣らない名馬が大量に清に献上されてくると、誇らしげに跋に書き付けている。乾隆帝には、自分の厩舎にいる馬たちが質量ともに歴代王朝第一であるという自負を、「五馬図巻」に載せて後世に伝えようという意図があったのかもしれない。

「五馬図巻」部分

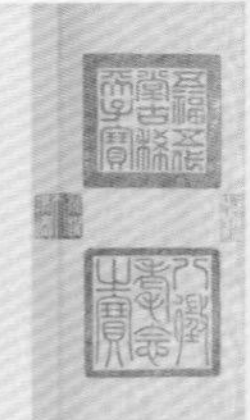

李氏「瀟湘臥遊図巻」

紙本墨画　30.3 × 402.4cm　南宋時代・12 世紀
東京国立博物館蔵　国宝

景勝地として知られる瀟湘の地（湖南省）を表わした長巻。淡い墨を繊細に重ねて、霞のなかに反射するやわらかい光を見事にとらえ、細かい筆で、漁師の舟や水辺の葦、雁の群れなどを描き込む。禅僧の雲谷円照は、李という画家に本巻を依頼し、自室に居ながらにして瀟湘に旅する気持ちを楽しんだという。乾隆帝はこれを李公麟筆とし、愛蔵した。『石渠宝笈』「静怡軒」所収。

部分

臥遊

中国大陸における絵画の歴史の特異な点として、早い段階で風景そのものに主題としての意味を見出し、「山水画」を発展させてきたことが挙げられるだろう。この山水画の存在を支えた重要な概念の一つに、「臥遊」がある。この言葉は、南北朝時代の宗炳(そうへい)(三七五〜四四三)の事跡に由来する。宗炳は山水を好み、各地の名山に登ったが、年を取り、病を得、実際に遠方に遊ぶ(旅する)ことができなくなったので、「懐(おもい)を澄ませて」「臥(ふ)して以て之(これ)に遊ぶべし」と述べ、自室の壁に山水を描き楽しんだという。

山水画のすばらしさは、過去から現在に至るまで、これを見る全ての人に臥遊体験を提供する点にある。「瀟湘臥遊図巻」は、南宋時代に雲谷禅師が作らせた長巻だが、かつてこれを所蔵した乾隆帝も、東京国立博物館でこれを鑑賞する私たちも、「懐を澄ませ」れば、等しく美しい瀟湘の地に臥遊できるのである。

「瀟湘臥遊図巻」部分

「瀟湘臥遊図巻」巻末に乾隆帝が描いた墨竹

「瀟湘臥遊図巻」の表紙裂

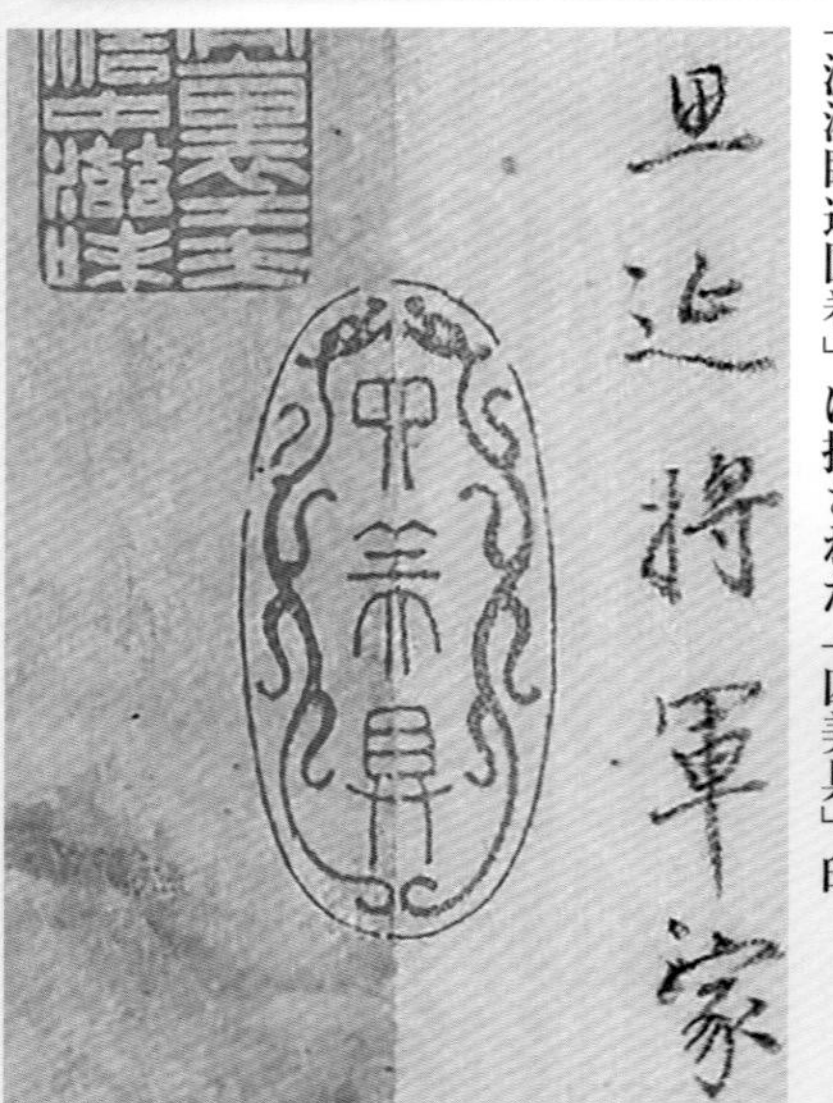

「瀟湘臥遊図巻」に捺された「四美具」印

四美具

東京国立博物館所蔵の「瀟湘臥遊図巻」、大英博物館所蔵の伝顧愷之筆「女史箴図巻」、中国国家博物館所蔵の伝李公麟筆「九歌図巻」、アメリカのフリーア美術館所蔵の伝李公麟筆「蜀川図巻」は、現在は世界各地に散っているが、十六世紀には上海のコレクター、顧従義（一五二三〜八八）所蔵の四大名巻として著名であった。

顧従義没後、そのコレクションは散逸したが、乾隆帝は再び四巻全てを入手した。皇帝はこれを記念し、四巻におそろいの藍地八達暈織錦の表紙を新調し、「瀟湘臥遊」には竹、「女史箴」には蘭、「九歌」には菊、「蜀川」には梅を手ずから描き、「四美具（四美具わる）」の印を作らせて捺した。四巻は紫禁城内の静怡軒西室に集め置かれ、そこには皇帝自筆の「四美具」の扁額が掛けられた。乾隆帝の熱心なコレクターとしての一面が伝わるエピソードである。

乾隆帝の秘蔵絵画と近代日本

中国大陸で制作された絵画は、古来日本に連綿と伝来しており、大切に保存されてきた。なかでも、室町時代に大成された鑑賞体系により、日本では伝統的に宋・元時代の絵画が珍重された。このため、日本には世界に誇るべき宋・元絵画のコレクションがある。ただ、中国大陸の知識人階級に重んじられた文人画家の作品で信頼に足るものは、ほとんどもたらされることはなかった。

北宋を代表する文人画家である李公麟の名作として清の宮廷に秘蔵されていた「五馬図巻」と「瀟湘臥遊図巻」は、近代になってから日本にもたらされた。日本人として初めて「五馬図巻」へのコメントをのこしたとみられる芥川龍之介（一八九二～一九二七）は、一九二一年に大阪毎日新聞社の海外視察員として北京に派遣された際にこれを見、「toute realiste（非常に写実的）」と感想を述べている。翌年、「五馬図巻」は、宣統帝溥儀（一九〇六～六七）の弟、溥傑（一九〇七～九四）に下賜された。さらに皇帝の教育係であった陳宝琛（一八四八～一九三五）の親族によって日本にもたらされ、一九二八年に開催された「唐宋元明名画展覧会」に出陳され、大きな注目を集めることとなる。日本人に譲渡されたのち、一九三三年には早々に重要美術品の認定を受けている。

一方の「瀟湘臥遊図巻」は、清時代末期の政治家・学者として知られる呉汝綸（一八四〇～一九〇三）が、一九〇二年に東京で見たというので、その頃までには日本に渡っていたと推測されるが、詳細は不明である。一九二三年三月には著名な美術商である原田悟朗（一八九三～一九八〇）によって、日本でコロタイプの複製画巻が刊行された。また、同年九月の関東大震災の折には、当時の所蔵者菊池惺堂（一八六七～一九三五）が、身を挺してこれを煙炎のなかから救い出したと伝わる。「瀟湘臥遊図巻」が、李公麟筆ではなく、同じ安徽舒城出身の李という無名の画家によるという説は、一九四〇年の旧国宝指定時には日本の研究者間にあったようで、同年、美術史学者の瀧精一（一八七三～一九四五）が雑誌『国華』にこれを記している。瀧は、李公麟筆には疑義を呈しつつ、この巻を「技芸の卓絶せるは疑なき所」と称賛を惜しまない。近代日本人は、これまでの日本のコレクションになかった、清朝宮廷の秘蔵品に熱いまなざしをそそぎつつ、それらを冷静に考証・評価する姿勢を貫いていたのである。

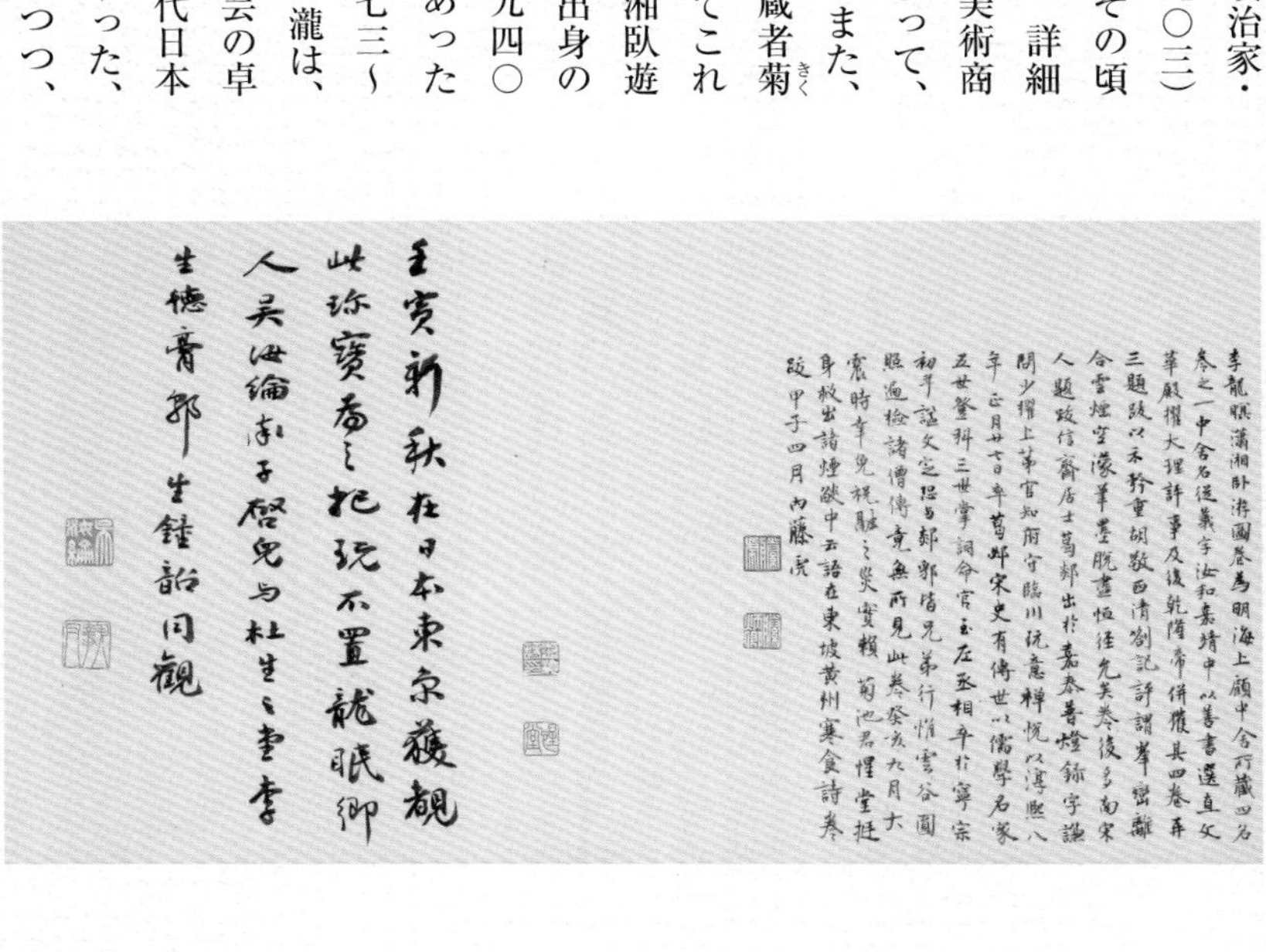

「瀟湘臥遊図巻」内藤湖南、呉汝綸跋

李迪雞雛待飼

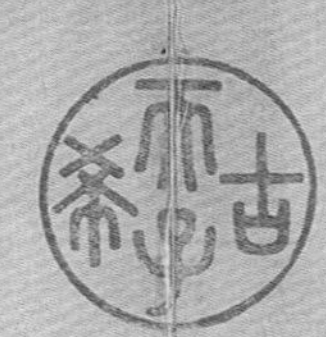

日本人の愛した李迪

李迪の華やかで緻密な花鳥画風は日本でも古来高く評価されてきた。現在東京国立博物館が所蔵する「紅白芙蓉図」には、「鶏雛待飼図」と同じ、慶元三年の落款がある。対象への画家の透徹したまなざしを感じさせる李迪の傑作の一つである。

一日の間に白から淡い紅色に変化する酔芙蓉を描き、もともとは画冊の二図であったのが、日本で好まれた鑑賞形式にあわせ、一対の掛幅に改装された形で現在鑑賞に供されている。「紅白芙蓉図」の日本伝来の時期は定かでないが、伝周文筆、横川景三賛「芙蓉図」（正木美術館蔵）など、この作品を翻案した作例により、室町時代には京都の禅僧の間で有名になっていたと考えられる。同じ年の同じ画家の作品であるが、一方は中国大陸にのこり、十八世紀に皇帝の目にとまって、国家事業として図像が広められ、一方は十五世紀には日本に舶

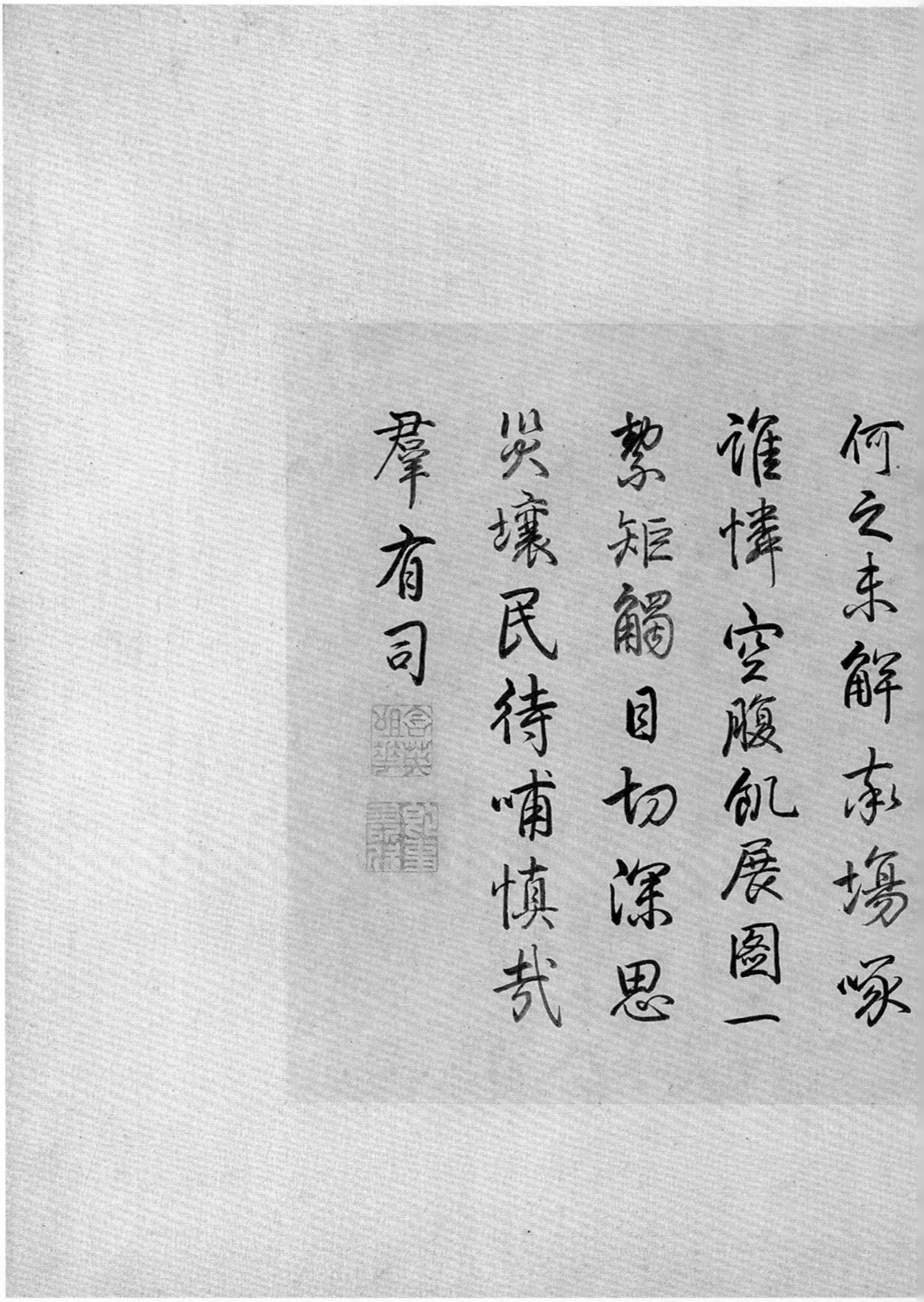

何之未解承塲啄
誰憐空腹飢展圖一
絜矩觸目切深思
災壤民待哺慎哉
羣有司

故宮博物院提供

李迪「鶏雛待飼図」
（「宋人名流集藻冊」より）
絹本着色　23.7×24.6cm
南宋・慶元3年（1197）
故宮博物院蔵

李迪は南宋時代の宮廷画家。精緻な花鳥画の名手として知られる。ふわふわとした2羽の雛は、母鳥がえさを運んでくるのを待っているかのようである。乾隆帝は、この庇護欲を誘う雛のたたずまいに、自国の人民たちを重ね、為政者に善政をうながす図像と解釈した。自ら摸写をしたほか、宮廷工房に命じて緙絲や紫檀木嵌玉石彫刻による複製を複数作らせ、天下に広く知らしめた。『石渠宝笈続編』所収。

載され、最終的にはきらきらしい裂で表装された対幅として愛でられている。それぞれの伝来がもたらした受容のあり方の違いが興味深い。

李迪
「紅白芙蓉図」
絹本着色
各25.2×25.5cm
南宋・慶元3年（1197）
東京国立博物館蔵　国宝

鄭思肖「墨蘭図巻」

紙本墨画　25.7×42.4cm　元・大徳10年(1306)　大阪市立美術館蔵

鄭思肖（1241～1318）は、南宋治世下では官吏として登用されることを目指したが、南宋滅亡後は、異民族の元に仕えることを潔しとせず、隠居して画業にいそしんだ文人画家。名前の「思肖」は宋の皇室の趙氏を慕うという意味。異民族に奪われた国土を嘆き、地面に根付かない蘭をたびたび描き、後世、作品に込められた愛国の念が高く評価された。『石渠宝笈』「御書房」所収。

三友と四君子

絵画の主題に選ばれる植物には、何らかの意味が託されているもので、文人画家たちが松・竹・梅・菊・蘭を特に好んで描いてきたのにも理由がある。松と竹は、厳しい寒さのなかでも緑の葉を保ち、梅は、百花に先駆けてつぼみを開き、菊は、秋も終わる頃に美しい花を咲かせ、蘭は、峻険な山の奥で人知れず高雅な香りを放つ。こういった点が、逆境におかれても節操を失わない、人間のあるべき姿と重ねられ、文人が描くにふさわしいと考えられたのである。松・竹・梅は、真冬でも活力ある友人とすべき植物という意味で「歳寒三友」、竹・梅・菊・蘭は、君子の徳をもつ植物という意味で「四君子」という雅称を与えられている。

▶ **劉松年「羅漢図」**（3幅のうち）

絹本着色
117.4×56.1cm
南宋・開禧3年(1207)
國立故宮博物院蔵

南宋の宮廷画家で道釈人物画家として名をはせた劉松年が描いた羅漢（仏教の修行を完成させた聖者）。明るい色彩と服飾品や家具類の細かな描き込みが見所である。南宋の皇帝である寧宗（1168～1224）、元の公主（皇帝の娘）である祥哥剌吉（セング・ラギ、1283頃～1331）の鑑蔵印があり、仏教信仰に熱心であった歴代の皇帝・皇族に愛されてきた、輝かしい来歴がわかる。『秘殿珠林続編』「乾清宮」所収。

部分

金昆・陳枚・孫祜・丁観鵬・程志道・呉桂「慶豊図巻」

絹本着色　28.6×512.4cm　清・乾隆5年(1740)　個人蔵

乾隆帝の書画コレクションには当代の宮廷画家の作品も含まれる。最盛期の清の宮廷画家は統率のとれた精緻な画技で知られ、しばしば共同作業で大作を仕上げるが、本巻もその一つ。皇帝の徳治のもと、人々が元宵節（旧暦1月15日の祭）の頃と推測される街の賑わいを楽しんでいる。美しい色彩と非常に細かな描写が見所。清の造弁処の活動を記す「活計档」には、乾隆5年12月、乾隆帝が出来たばかりで未表装の本作を数日手元に置いて確認し、仕上がりに満足して、腕の良い職人に表装させ、紫檀の木箱や錦の包布、玉製の爪(こはぜ)をあつらえるよう命じたという記録が残る。『石渠宝笈』「養心殿」所収。

都市風俗図巻の歴史

現在北京の故宮博物院が所蔵する張択端筆「清明上河図巻」は、北宋の首都開封の清明節の賑わいを描いた長巻である。この稀世の名画は、その後に中国大陸で作られた都市風俗画巻に支配的といってもよいほどに大きな影響を及ぼした。明時代には複製が多数作られたことも知られている。北京故宮本が宮廷に入ったのは乾隆帝没後であるが、明の複製本によって、乾隆帝はその図像を熟知しており、乾隆元年（一七三六）、これを翻案して自分の目指す理想の都市像を作らせた。台北の國立故宮博物院が所蔵する、陳枚・孫祜・金昆・戴洪・程志道合筆の「清院本清明上河図巻」である。「慶豊図巻」に見られる、整然とした大道・建築の構成、多種多様な風俗の描写には、清院本制作の経験がよく活かされている。

部分

張択端款「清明上河図巻」

絹本着色　27.8×551.5cm　明時代・17世紀　東京国立博物館蔵

明時代に数多く作られた、張択端の偽款をもつ「清明上河図巻」の一つ。北京故宮本の構成を踏襲しつつ、風俗描写は当世風に描き替えられている。

「慶豊図巻」部分

乾隆帝と歴代書画

天下泰平を実現した皇帝のみに許される、国家最大級の儀式が封禅(17頁)である。封とは、山の頂で天の神を祀ること、禅とは山麓で地の神を祀ることをいう。中国の皇帝たちは、壮大にして神聖な泰山(山東省)での封禅を理想としたが、莫大な費用と労力がかかるため、実際に泰山で封禅を行なった皇帝は少ない。

多くの皇帝は、冬至に国都の南郊に円丘を築いて天を祀り、夏至に北郊に方丘を築いて地を祀った。これを郊祀制度といい、八・九世紀の日本でも行なわれた。

儒教の経典『周礼』は、蒼の璧をもって天を祀り、黄の琮をもって地を祀ると規定して、乾隆帝もこれを踏襲している。

皇帝として最も重要なこの儀式を、書画の上で初めて明確に実践したのは、北宋の徽宗であろう。徽宗の書画コレクションには、徽宗が定めた装幀が施されている。その特色は、本紙の周辺には黄の裂を、その周辺には蒼の裂を用いて、書画を天と地が取り巻く宇宙に見立てている。

徽宗の書画コレクションには、厳格なルールのもとに、七種の璽印が捺された。自ら揮毫した絵画の題籤の上には方印を、書跡の題籤の下には円印を捺す徹底ぶりで、徽宗は歴代の書画を所有した喜びを、書画の上で封禅を行なって、天と地の神に感謝しているのである。

乾隆帝は、徽宗の宮廷コレクションを強く意識していた。書画についても、徽宗の『宣和画譜』『宣和書譜』にならって、『秘殿珠林』『石渠宝笈』を編纂し、書画を整理させた(28~29頁)。しかし、乾隆帝は伝統を継承しながら、創出にも心を注いだ。『秘殿珠林』『石渠宝笈』は、どの殿閣にどの名品が所蔵されるのか、所在簿の機能を付与している。

徽宗の七璽に対し、乾隆帝は八璽を捺した。しかも、書画に捺す璽印の多寡によって、書画の等級を示した。もちろん、八璽のうちの一つは、所在を示す殿閣印である。乾隆帝が施した書画の装幀も、基本は黄の裂と蒼の裂を用いている。

ところで、乾隆帝は書画の上で、封禅を行なっていないのだろうか。乾隆帝は、乾隆五十八年(一七九三)、八十三歳で書いた『秘殿珠林』『石渠宝笈』続編の序文を、玉冊に刻している。序文は六枚の玉に刻され、冒頭の一面は隷書「鑑昭游芸」の四字を、寿山福海を背景に飛翔する双龍が左右から支えている。この玉冊は、贅を凝らした紫檀の木箱に収納された。これはまぎれもなく、唐の玄宗皇帝が開元十三年(七二五)、封禅にあたって刻した玉冊(17頁)を意識してのことであろう。乾隆帝もまた、歴代の書画を所蔵した喜びを、天と地の神に感謝していると考えられる。

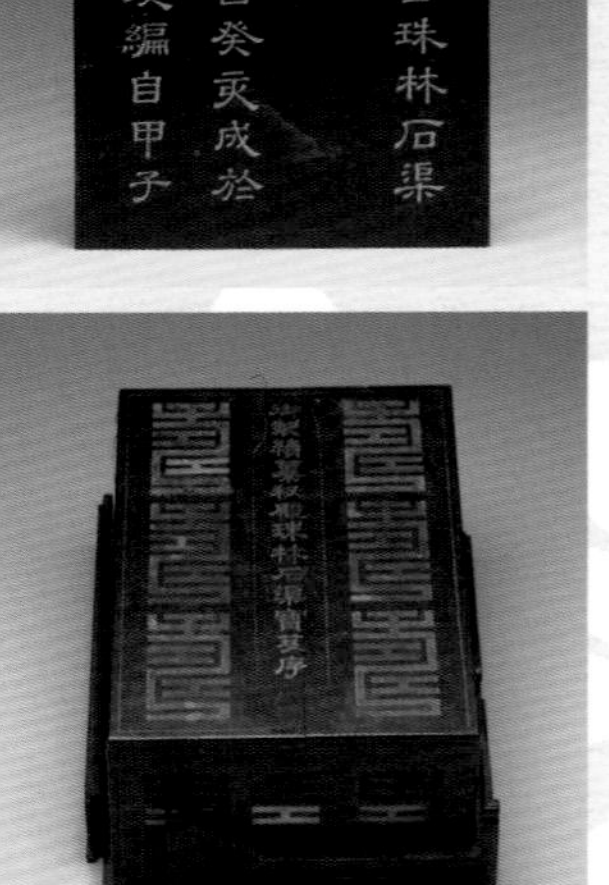

御製続纂秘殿珠林石渠宝笈玉冊と収納箱

碧玉
18.6×12.0×4.0cm
清時代・乾隆58年(1793)
國立故宮博物院蔵

column

皇帝のコレクション

工芸

底部の御製文

青磁楕円盆

汝窯・陶製　縦16.4×横23.0×高6.9cm

北宋時代・11～12世紀

國立故宮博物院蔵

北宋時代に河南省の汝窯で焼成された宮廷用の青磁。汝窯青磁の釉調は「雨過天晴」(雨後の青空)の語で称賛された。本器は、そのなかでも貫入がない美肌で名高いもの。楕円盆は汝窯青磁の特徴的な器形であるが、その用途は不明であり、清時代には水仙盆とか犬や猫の餌皿などと呼ばれた。本器の底部にも「猧食器」(子犬の餌皿)に言及する乾隆帝の御製文が刻まれている。また乾隆帝が特に作らせた紫檀製の台が付属する。

天然の素材を加工して、生活の道具を作り出すのが工芸である。工芸は、人類の普遍的な行為である。世界各地の人間は、それぞれが暮らす土地で調達できる素材を利用して、素材に応じた技法を駆使して、風土に適した生活を営むための建築、器物、衣服などを作り出した。それらは実用品であるばかりでなく、民族的な美意識のもと、社会的あるいは精神的な意味を込めて装飾された。中国には『天工開物』と題する農耕や工芸に関する技術書があり、天然の資源や素材に対して人間が開発したり加工したりすることで成果物を得るという点において、農耕と工芸を同様に捉えていた自然観が窺える。中国の代表的な工芸品には、美しい石を磨き上げる玉器、土石を練った粘土を焼成する陶磁器、鉱石から得た金属を鋳て鍛える金工品、蚕糸や獣毛あるいは植物の繊維を紡ぎ織り染める染織品、木材の質感や色調を選んで削り組み立てる木器、木器の保護と装飾のために漆を塗布する漆器などが挙げられる。官営工房では宮廷向けの上質な工芸品を生産し、民営工房では市場向けの日用の工芸品を生産するような区別もあったが、明時代後期の景徳鎮のように官窯が民窯に磁器の生産委託をして、官民合同の生産が行なわれたこともあった。

雲龍堆朱合子

木製漆塗　径37.2×高12.2㎝

明時代·宣徳年間（1426～35）　故宮博物院蔵

黄漆の地に朱漆の層を重ねて、雲龍を彫漆で表わした合子。龍は、五爪龍であり、蓋表の1頭と側面の8頭を合わせて9頭となる。皇帝が礼装で用いる朝帯を入れる容器とされる。底面には「大明宣徳年製」の銘がある。蓋裏には乾隆帝の御製として、明時代の初期に設置された果園廠という官営の漆器工房に想いを馳せた文が記されている。

彫漆

中国における漆工の歴史は古く、浙江省の先史時代の遺跡からは八千年前にまでも遡る漆器が発掘されている。漆は樹液なので、塗って固化すると少しの厚みがあり、何層にも塗り重ねて厚みを増せば、レリーフ状に彫刻できる。彫漆は、宋時代以降の中国漆工の主要技法となった。元時代には、浙江省の嘉興で張成や楊茂といった彫漆の工人が名を馳せた。明時代の初期には、北京に遷都してのち、張成の子の張徳剛が果園廠という漆工の官営工房で活躍したという。明時代の後期には「紅花緑葉、黄心黒石」と俗称されるような、多彩な色漆を重ねて彫漆する彫彩漆が発達した。清時代の初期には彫漆は江南で盛行していたが、乾隆年間になって造弁処でも製作されるようになった。造弁処で彫漆を行なったのは封岐という工人であった。封岐は、蘇州の嘉定の竹彫で名高い封家の出自であり、彼自身は牙彫を得意とした。以後、彫漆の器物は造弁処の設計に基づいて蘇州の職人が製作するようになったため、乾隆年間の彫漆は竹彫の影響を受けた作風になったとされる。

蓋表

永樂創朱漆文孫應
見之原從果園製亦
類肯堂爲著色層披
赭雕紋細入絲九龍
各蠖略粉本所翁貽
乾隆戊戌御題

蓋裏に記された乾隆帝の御製文

すべて故宮博物院提供

桃鳩図緙絲軸
沈子蕃作

絹製緙絲
95.7×38.0cm
南宋時代・12世紀
國立故宮博物院蔵

2羽の鳩が桃樹にとまる情景を緙絲（綴織）で表わした軸。花鳥の生態に迫真する織技は、南宋の院体画の構図・筆法・色彩などの表現を忠実に模倣した形跡が認められる。南宋時代には、刺繍や緙絲による絵画風の優れた作品が製作された。画面右下に「子蕃」銘が織り込まれており、緙絲の名手の沈子蕃の製作と見なされている。

第三章 紫禁城の生活

歴史と伝統を秘めた美術品が珍重されると同時に、
新しい美術品も次々と生み出されていった。
清の皇室で用いる器物や服飾などは、
造弁処（ぞうべんしょ）という部署で製作された。
そこで生まれたものは芸術的であるばかりでなく、
宮廷の礼法に従った中国文化の枠でもあった。

執筆：猪熊兼樹

雲龍透彫粉彩冠架（p.74掲載）

紫禁城の意匠

紫禁城は壮大である。その壮大さについては正当な理由がある。すなわち「皇帝は天下を家とするので、その宮殿は壮麗にして威厳を示さなければならない」という礼制の論理である。中国の宮廷は、その論理で発達を遂げて、ついに紫禁城という極致に至った。

紫禁城は、国家の公的空間である雄大な外廷（外朝）と、皇帝の私的空間である華奢な内廷から構成される。外廷の正殿である太和殿（9頁）は、三段の白石基壇の上に紅柱と彩色梁架を組み、黄釉瓦を葺いた宮殿である。太和殿は、明の創建時には奉天殿といい、のちに皇極殿と改称し、さらに清になって太和殿と改称した。その建物自体も焼失と再建を繰り返し、清の康熙年間の再建に際して規模が縮小したが、それでも基壇も含めた総高は三五メートルを誇り、ここで皇帝の即位・大婚、皇后冊立、将軍出征や元旦・冬至・万寿節などの儀式が挙行された。太和殿の屋根は、最も格式の高い二重寄棟造で、大棟の両端に鴟吻という火災除けの怪魚像を置き、屋根の四隅に走獣像を並べる。走獣像は、先頭の騎鳳仙人と末尾の垂獣の間に龍・鳳凰・獅子・天馬・海馬・狻猊・押魚・獬豸・斗牛・行什の十体を並べる。この走獣像の数は宮殿の格式に応じて異なる。太和殿前の月台（バルコニー）には、日晷（日時計）、嘉量（測量器）、鶴形香炉、亀形香炉が配置され、国家の統一と安泰を象徴する。儀式の際には、皇族・大臣は月台に整列し、文武官人は前庭に整列した。宮殿に黄釉瓦を葺き、柱や壁に紅を

塗るのは、五行思想において、黄が世界の中心を象徴し、紅が喜びを象徴するのに因む。紫禁城の中軸線上にある前三殿や後三宮の天井や梁架には、龍や鳳凰などの彩画が描かれた。太和殿内には乾隆帝御筆の「建極綏猷」の扁額がかかり、藻井（天井）には龍像が軒轅鏡という珠を銜えて見下ろし、その下には、龍を彫刻した金彩の宝座（玉座）が置かれ、その背後には金彩の衝立が立てられる。

外廷と内廷の境界には、通路のような広場があり、その北側中央に内廷の正門である乾清門がある。この門で、皇帝は御門聴政という毎朝の政務を行なった。乾清門の両側の壁には唐花文の瑠璃装飾があり、華やかな内廷の予兆を示している。内廷の正殿である乾清宮は、もとは皇帝の御在所であったが、清の雍正帝の頃から養心殿が御在所となったので、乾清宮は内廷で儀式を行なう宮殿となった。坤寧宮も、もとは皇后の御在所であったが、清代に改築されて薩満教の祭祀場所となった。内廷は、皇帝と后妃たちが暮らす区域で、中庭を囲む小規模な宮殿が密集しており、あたかも城内の胡同のような様相を呈している。北京の冬は酷寒となるため、内廷の宮殿には炕という床暖房（オンドル）を備えた暖殿や暖閣という建物があった。また、冬季には隔扇という屛風状の間仕切で室内を小さく区切り、夏季には隔扇を取り払って風通しをよくするような工夫がなされた。清時代に工芸技術が発達すると、宮殿の室内装飾や調度品、宮廷人が着装する服飾などは芸術性を増し、華麗な形式で作られ、多彩な意匠で飾られるようになった。また、内廷には梵華楼や雨花閣などの仏殿があり、御花園には欽安殿という道教の祭祀場所もあった。后妃用や園林用の宮殿には百花・果実・祥鶴など、仏殿には六字真言や法器などの意匠の装飾が施された。

故宮博物院提供

三希堂

三希堂は養心殿の西端にある書斎。主室の広さは5㎡程度で、それより少しばかり広い前室が付く。主室は上段と下段に分かれ、上段には炕（床暖房）が備わり、座椅子が置かれる。三希堂という書斎名は、乾隆帝が愛玩する王羲之の「快雪時晴帖」（30頁）、王献之の「中秋帖」、王珣の「伯遠帖」という三つの類希な書跡を秘蔵したことに因む。

養心門

養心殿の出入口の門。養心殿は、清の雍正帝が寝殿（生活場所）として利用して以来、皇帝の居所と定まった。内廷の宮殿には華奢な雅趣が漂い、皇帝の居所でさえも、その門の屋上の走獣は1体に過ぎず、門や壁には草花や花鳥の瑠璃装飾が施された。養心殿の南側には、塀を隔てて、清の政府の最高機関である軍機処があった。

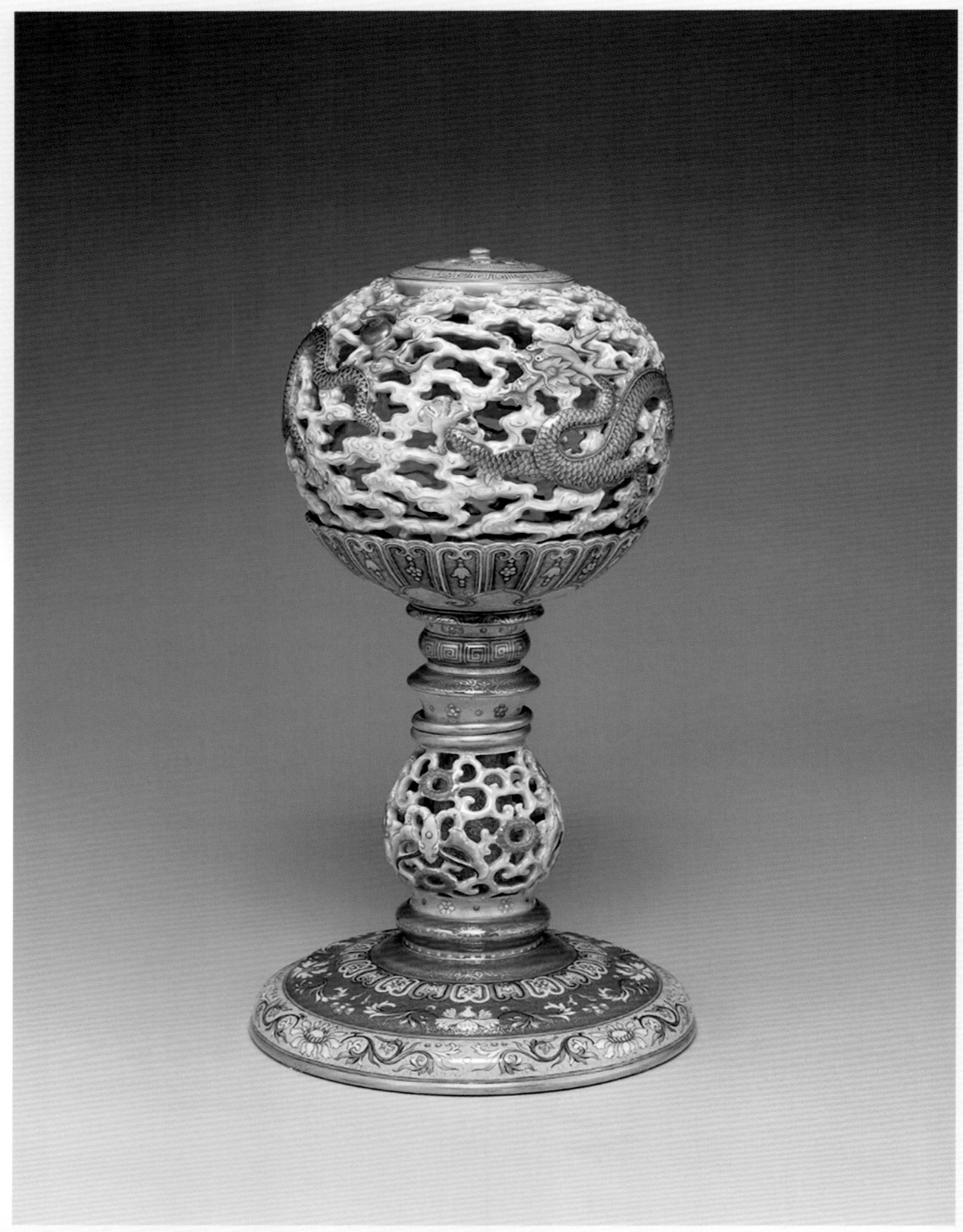

雲龍透彫粉彩冠架

景徳鎮窯・磁製　高33.0×底径17.7cm　清時代・乾隆年間(1736～1795)　國立故宮博物院蔵

清の宮廷人は頭に朝冠や纓帽などの冠帽をかぶっていた。本器は、そのような被り物を架けるための台であり、全体を粉彩という上絵付で多彩な装飾を施す。上方の球形部は、雲龍を透かし彫りした香炉となっており、ここに冠帽を架けて香を焚きしめた。乾清宮や養心殿にあった冠架とされており、乾隆帝の周辺で用いられたものと思われる。

裏面の詩

琺瑯彩黄地芝蘭碗

磁製　高5.4×口径11.0×底径4.5㎝
清時代・乾隆年間（1736～95）
國立故宮博物院蔵

優美な曲線の器体で、口縁を端反に作り、短い高台を付けた典型的な宮廷用の碗。薄造の白磁の碗の外面に、琺瑯彩で黄地に霊芝、蘭、奇岩が描かれ、裏面には「雲深遙島開仙逕　春暖芝蘭花自香」の詩文が記される。このような宮碗は、景徳鎮で白磁の規格品が大量に作られて北京に送られ、宮廷での必要に応じて琺瑯彩を施したとされる。

皇帝の象徴

身分秩序を重んじる中国の礼制の論理では、君主は特別な存在であることを目に見える形で示さなければならない。伝説によると、太古の聖帝の衣服には十二種の文様が表わされていたという。これを十二章といい、その内容には諸説あるが、通常は日・月・星辰・山・龍・華虫・火・宗彝（虎蜼）・藻・粉米・黼・黻とされている。また先秦時代には、天子の服飾には袞龍の文様を表わし、冕冠という十二旒の飾玉を垂らす冠をかぶる規定もあった。そして隋唐時代には、皇帝が常服に赭黄袍（赤味がかった黄）を着用するようになり、五行思想で中央を象徴する黄が皇帝専用の色となった。

古来、龍や鳳凰は君主を寓意するモチーフであったが、宋元時代には、龍は皇帝を象徴するようになった。龍は、蛇を原型とする象形文字のように推察されるが、後世には龍の九似といい、頭は駱駝、目は兎（もしくは鬼）、角は鹿、耳は牛、首は蛇、鱗は魚、腹は蜃、手は虎、爪は鷹という九つの動物の特徴を備えていると唱えられた。九似の論理では、龍の爪は鷹と同様に四本となるが、皇帝を象徴する龍については、従来の龍と区別するために五爪で表わし、四爪のものを蟒（うわばみ）と称した。ただし、五爪龍の図様であっても、それを用いる人が皇帝でなければ、それを蟒と見なす場合もあった。また、鳳凰は皇后を象徴するようにもなり、皇帝と皇后の婚礼の際には、龍と鳳凰を組み合わせた文様が用いられた。

歙渓蒼玉硯

石　長18.5×幅9.1～13.6×高1.9cm　清時代・17世紀

國立故宮博物院蔵

安徽省の歙渓で産出する石で製作された硯。表面には眉子文とよばれる石文が美しく出ている。背面から側面にかけて、「歙渓蒼玉」と題して康熙41年（1702）に金廷対が本器を称賛した文が刻まれている。歙渓石の特徴である青みがかった黒色を称えた語であろう。乾隆帝が編纂させた『西清硯譜』に所載されている名硯。

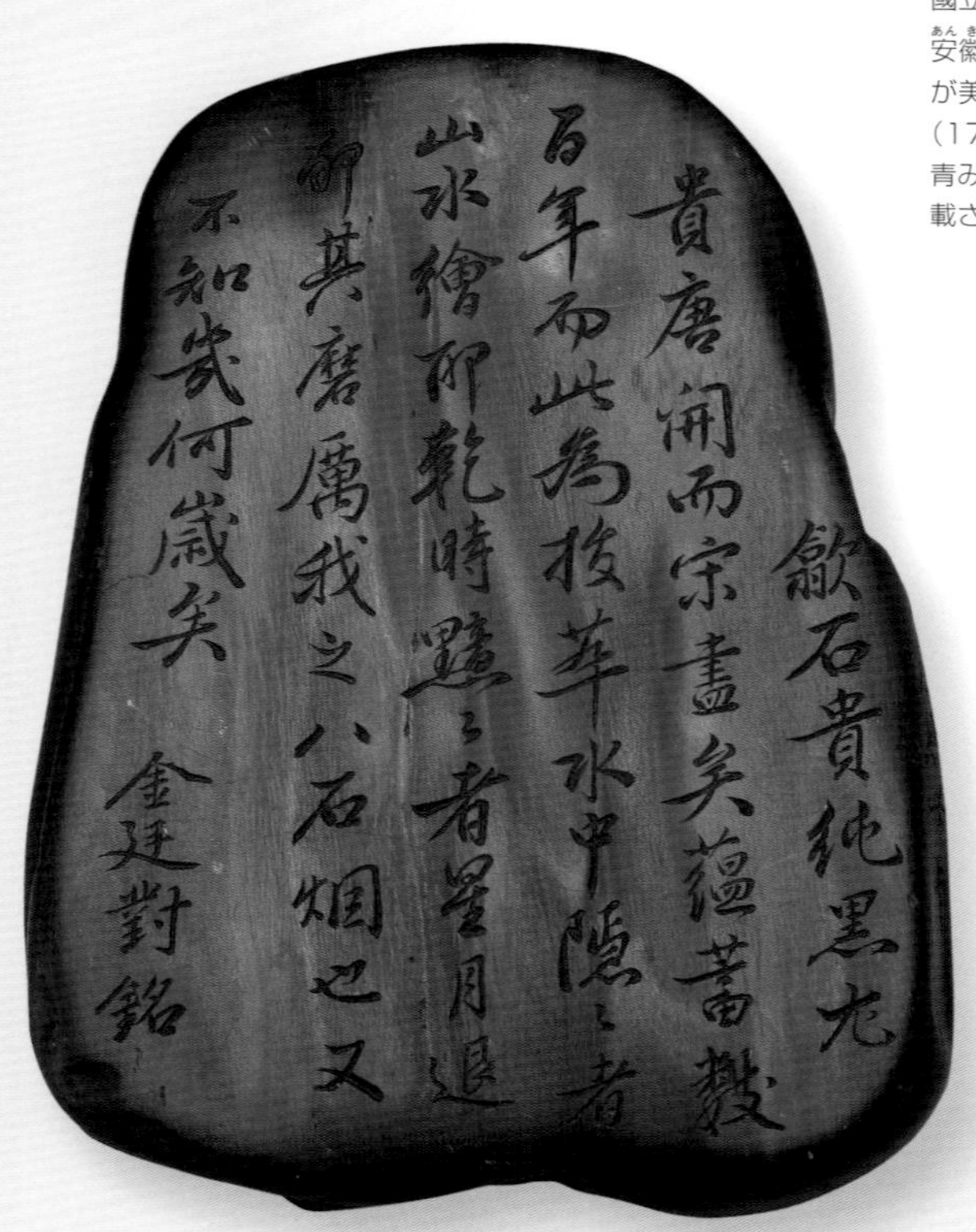

硯の背面の金廷対銘

龍涛七宝文具　七宝　清時代・乾隆年間（1736～95）

暖硯　高15.9×縦17.1×横21.1㎝

筆架　高15.9×長22.1㎝

水盂　高11.1㎝

勺　長14.0㎝

紙鎮　高11.0×方10.0㎝

國立故宮博物院蔵

中国における七宝（琺瑯）の製作は、唐時代に遡り、元明時代に盛行した。清時代の康熙年間には、造弁処琺瑯作における宮廷用品の製作が督励されて、技法が発達し、器種や意匠も充実し、本器のような七宝文具も製作された。冬季の紫禁城は、墨汁までも凍てつく寒さであれば、硯の下の箱に炭を入れて暖める暖硯が用いられた。

文人趣味

朝廷に奉職する官人は、科挙という試験を経て登用された。科挙の合格者、あるいは受験を志す知識人を士大夫という。博識でもって公務に励んだ士大夫にも私生活がある。美的趣味と知的教養が漂う生活を楽しむ士大夫のことを文人という。文人趣味は、宋時代から書斎で用いる文房具を中心に発達し、やがて、その対象は生活の場となる住居や調度、庭を飾る花木や奇石、室内で愛玩する書画や古器物など生活全般にまで及び、明時代の末期に江南地方で極致に至った。その内容は、高尚を貴び低俗を嫌い、豪華絢爛よりも静寂閑雅を好む落ち着いた雰囲気のものであった。騒々しい市中ではなく穏やかな山中に住居を求め、たとえ市中にあっても山中に閑居する体裁を繕い、明るく清浄な書斎で、召使の童子に身の回りの世話をさせて、太古の青銅器や玉器を鑑賞し、古人の書跡に精神を通わせ、画中の山水に閑居する人物に想いを馳せた。この文人趣味は中華的教養となって、清時代にも引き継がれ、乾隆帝の頃に爛熟期を迎えた。

花瓶刺繍浅緑袍

絹製刺繍
丈156.0×両袖通長176.0cm
清時代・乾隆年間(1736～95)
故宮博物院蔵

清時代の后妃が着用した袍。牡丹や海棠などの花を生けた花瓶が点在する周囲に花卉や蝶を散らせた意匠が刺繍で表わされている。玉堂富貴を寓意するデザイン性の高い意匠が針法を駆使して施されており、来客を応接するようなあらたまった際に着用する平常着のように見なされる。乾隆帝の内廷にふさわしい高尚な美意識が横溢する衣装である。

部分

すべて故宮博物院提供

竹蝶刺繡菫色花盆底鞋

絹製刺繡
高18.0×長22.0cm
清時代・19世紀
故宮博物院蔵

清時代の后妃が履いた鞋。このように高く作られた底部を花盆（植木鉢）に見立てて花盆底鞋という。后妃の鞋には元宝底、花盆底、高底の3種があった。花盆底鞋は古くは馬蹄鞋と称した。この鞋は、菫色の繻子地に竹と蝶を刺繡し、花盆底の部分には宝石を鏤める鮮やかなものである。造弁処で製作されたものとされる。

水仙金寿刺繡浅紫氅衣

絹製刺繡
丈145.0×両袖通長134.0cm
清時代・同治年間（1862～74）
故宮博物院蔵

清時代の后妃が着用した普段着。氅衣は、もとは漢族の伝統的衣装であるが、清末期の宮廷において美麗な宮廷服飾の一種として発達した。その形式は、袖口が広く両裾に切込を入れるのを特徴とする。本服では、水仙と金寿字の文様を刺繡で表わし、縁には刺繡を施した三種類の帯状縁飾をめぐらし、その縁飾を両脇では如意雲形にあしらっている。

瑪瑙石榴

瑪瑙　高10.6×径8.5　清時代・18世紀
東京国立博物館蔵

瑪瑙の色調を活かして作られた石榴の実。皮が裂けたところには、ルビーでできた種子がびっしりと嵌められている。石榴は、一つの実に沢山の種子があるために子孫繁栄を象徴した。中国では、古くから玉とよばれる美しい石を加工する玉器が製作された。なかでも玉の本来の色調を生かした工芸を俏色といい、清時代に盛行した。

◀色ガラス燭台（「乾隆年製」銘）

ガラス　高32.5cm　清時代・乾隆年間（1736〜95）
東京国立博物館蔵

金属製の芯棒にさまざまな色ガラス製のパーツを積み重ねて作られた燭台。中段には、白ガラスの上に赤ガラスで「寿」字を浮彫のように表わした手の込んだパーツもある。中国のガラス工芸は、清時代になると、西洋の製造技術を学習して発達したが、透明感よりも玉のようにつやつやかな色調や質感を表現することを好んだところがある。

乾隆年製
乾隆年製

さんすいじんぶつさいかくはい
山水人物犀角杯

犀角　長径19.0×短径12.0×高16.2cm
清時代·18世紀
東京国立博物館蔵

犀の角を彫刻した杯。犀角の形に従って、上方が広く、下方に曲がりながら狭くなっていく器形に作られている。表面には、松林に老人と童子がいる情景が緻密に彫刻されている。犀角には解熱や解毒の効果があるとされ、しばしば杯に加工された。また、香気を豊かにする性質があるともされており、良酒を注ぐと芳香が漂うという。

山水人物牙彫小景　封岐作

象牙　幅8.8×奥行7.2×高4.6㎝
清時代・乾隆3年(1738)
國立故宮博物院蔵

象牙を丸彫りして、山岳とそこに幽居する人物たちを表わす。背面には「乾隆三年に封岐が製作した」旨の銘がある。緻密な彫刻は、乾隆期の牙彫の特徴である。封岐は、竹彫で名高い江南の封家の出自で、彼の父の封錫禄は康熙期の養心殿造弁処に仕えていた。封岐自身も家業の技術を活かして、紫禁城内で象牙彫刻に従事していた。

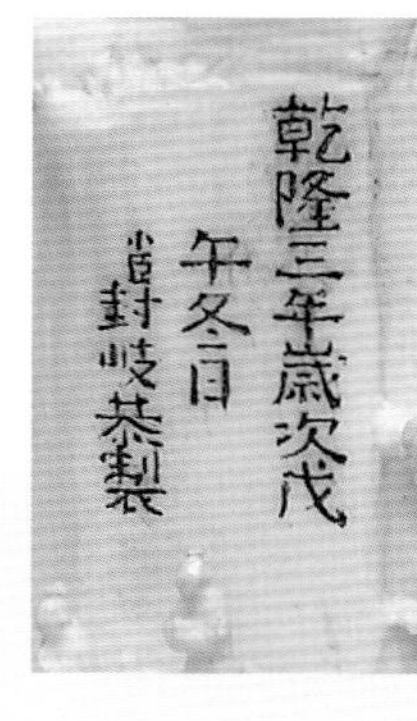

裏面の銘文

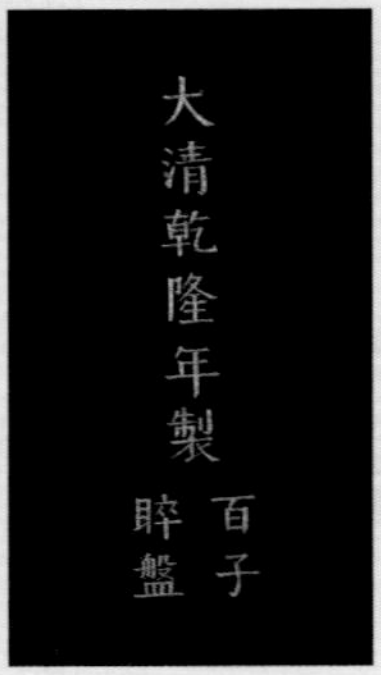

大清乾隆年製 百子晬盤

底面の銘文

すべて故宮博物院提供

百子晬彫彩漆長方盆

木製漆塗　横58.7×縦32.7×高5.6㎝
清時代・乾隆年間（1736～1795）
故宮博物院蔵

多色の漆の層を重ねて、浮き彫りで文様を表わす盆。底面には「大清乾隆年製　百子晬盤」の銘がある。晬は1歳児を意味する語で、「多数の赤子を表わす盆」という意味である。乾隆期には、蘇州織造では宮廷用の彫漆の器物を調達していた。当時の造弁処の記録によって、本器もそのような漆器のひとつであったと考えられている。

造弁処

清の皇室が用いる器物や服飾などの工芸品は、造弁処という部署で製作された。造弁処は、皇室の事務を司る内務府に属し、工芸技法や製作器物ごとに区分された多数の工房を抱えていた。康熙年間に紫禁城の養心殿に設置された造弁処は、やがて規模を拡張するために移転したが、引き続き養心殿造弁処と称した。その製作活動については『造弁処活計档』に記録されている。造弁処の職人は中国全土から選ばれて北京に集められた。あるいは造弁処が設計を示したものを、地方の職人が製作する場合もあった。そのために民間の優れた職人が宮廷で技術を磨いて作風を洗練したのち、故郷でその技術を普及することにもなった。造弁処で製作される工芸品については、皇帝みずからの趣向や意見も伝えられ、なかでも康熙・雍正・乾隆年間に製作されたものは、とくに芸術的に優れている。また、それらは宮廷で用いられるため、ただ芸術的であるばかりでなく、宮廷の規則や礼法に厳密に従っている必要があった。

第四章 多文化融合と国際交流

乾隆帝の治世、度重なる外征の結果、
清朝は中央アジアに及ぶ広い国土を有した。
また広東（カントン）を通じてヨーロッパと交易し、
中国には世界各地の文化が流入した。
それを象徴するのが、チベット仏教と西洋文化である。
開かれた清朝の文化状況を、美術品から垣間見る。

永安寺白塔（p.86掲載）

執筆（掲載順）：猪熊兼樹・西木政統
植松瑞希

中国における多文化融合

北海公園　永安寺白塔

紫禁城の北西には北海という湖があり、その周辺には宮廷庭園が広がる。北海の瓊華島には、清の順治帝が創建した永安寺というチベット仏教の寺院が伽藍を連ねて、その後方の丘に白亜の巨塔がそびえたつ。チベット仏教の特徴である覆鉢式塔であり、相輪の頂部には日・月・火焔形の像を置き、仏法が地上を照らす象徴としている。

撮影：猪熊兼樹

中国は文明を備えた中華であり、その周囲には野蛮な夷狄の国々があるとする国際関係の考え方を華夷秩序という。確かに中国の文化は、中国だけに留まらず、周辺の諸国にまで影響を与えたものが少なくなく、その意味で文明というべき普遍的性質があった。とはいえ、その中国文化といえども、必ずしも単一文化が独自的な発達を遂げたばかりでなく、他の地域や民族の文化を受容しながら形成されたところもあった。

中国文明の中心的な文化は黄河流域の中原の地において育まれた。ここで夏・殷・周という三代の王朝が盛衰した。殷周革命に際して、天という概念が現れ、周王は天命を受けた統治者とされた。この天の概念は、北方の遊牧民族に由来するという。そして天命を受けた天子が統治者となり、天子が徳を失えば、天命は革まり、別の徳のある者が天子となるという革命思想が行なわれるようになった。

中原の北方には、遊牧民族が暮らす草原が広がり、中原の王朝と対立してきた。秦・漢の頃には、中原と草原を隔てる長城が築かれた。漢の武帝は、北方民族の匈奴を挟撃する意図のもと、西方にある大月氏国と連絡をとり、それを契機として、ユーラシア大陸の東西交易路となるシルクロードが開拓され、インドからは仏教が伝来した。

漢が滅びてのち、胡族と呼ばれた北方民族が中原を制し

円明園海晏堂

紙本銅版画　清時代・19世紀　東洋文庫蔵

円明園は、北京の北西にある清の離宮。雍正帝や乾隆帝が拡張整備するにあたり、郎世寧（カスティリオーネ）が設計に参画し、西洋風の建物や庭園が造営された。園内にあった海晏堂の噴水池には獣頭人身の十二支像が並び、各像は該当する時刻になると口から吐水した。また園内にはガラス器を製造する工房も設営されていた。

て華北に王朝を建て、中原の漢族は南方に移動して江南に王朝を立てた。華北の王朝では、胡俗が行なわれて衣服や器物の形式も胡風となったが、その一方で漢化政策も行なわれた。北朝に連なる隋・唐が南北を統一すると、シルクロードの起点となる長安（西安）にササン朝ペルシアやインドなどの西域文化が流入した。

五代・北宋の頃には、シルクロード経由の東西交易は衰退し、中国本部の華北と江南の交易が盛んになったため、大運河の起点となる卞京（開封）に拠点が移った。北方民族の契丹族が興した遼は北宋と対峙し、次いで女真族が興した金は北宋を南方へと駆逐し、ついにモンゴル族が興した元が南宋を滅ぼした。これらの北方民族の王朝では、現在の北京の地に拠点を置き、漢族の制度や人材を利用する統治が行なわれた。元に交代した明では、中華に対して夷狄が貢納する朝貢という華夷秩序の体裁を利用した海外貿易を行ない、東アジア、東南アジア、南アジア、アフリカにまで朝貢を求める使節を派遣した。明時代は、地球規模で世界が結ばれるようになった大航海時代と重なり、西洋の科学技術や思想が中国にもたらされるようになった。

満洲族（女真族）が興した清は、北京に入る前から満洲族・蒙古族・漢族を統治しており、とくに蒙古族との関係維持のためにチベット仏教を手厚く保護していた。入関後、清の初期には好学の皇帝が輩出し、西洋の天文学・地理学・芸術などに深い理解を示し、広東をヨーロッパとの貿易港として開いた。そして清の宮廷では、天球儀・観測機・機械時計などを礼制の論理で扱うことすらあった。清の真骨頂は、この器量の大きさと消化力の強さにあろう。

七宝仏塔
七宝
総高231.0×台座幅94.0cm
清時代・乾隆39年（1774）
故宮博物院蔵

乾隆帝が北京および避暑地である承徳に造営したチベット仏教寺院には、膨大な数の仏像と法具が納められた。今日、その多くは散逸しているが、寧寿宮内の梵華楼には遺品が当時のまま伝存しており、なかでも「琺瑯塔六座」として製作された仏塔からは、その威容がうかがえる。本塔は正面中央に「大清乾隆甲午年敬造」の銘が記される。

チベット仏教

インド仏教を継承しながら独自の展開を遂げたチベット仏教は、複雑な仏の体系を有し、インド以来の高度な仏教思想や神秘的な儀礼を特徴として、モンゴルや中国の人々をも魅了した。中国では、元時代以来、とくに清時代においては、異民族を懐柔する目的も指摘されるが、十七世紀前半にはチベットやモンゴル、満洲などの地域ではチベット仏教に基づく価値観が共有されており、その施主であることは理想的な皇帝の条件でもあった。

とりわけ、乾隆帝は篤い信仰で知られ、チベットやネパールから僧侶や職人を招聘して、北京に本格的なチベット仏教寺院を建立した。現地から直送された手本を参考に、宮廷工房で数多くの金銅仏や、チベット語で軸装の仏画を指すタンカが製作されたのである。その集大成として、北京周辺の八箇所に建立された六品仏楼が挙げられるが、このうち普陀宗乗之廟や須弥福寿廟は、チベットで著名なポタラ宮やタシルンポ寺を模しており、熱意のほどが知られる。

すべて故宮博物院提供

大威徳金剛(ヤマーンタカ)像

銅造彩色　総高93.0×台座幅67.5cm
清時代·18世紀　故宮博物院蔵

ヤマーンタカとは、「死の神ヤマ（閻魔）を倒す者」という意味の仏であり、ヤマの象徴である水牛の頭を持つ。日本では大威徳明王と呼ばれるが、チベット仏教ではより発展したヴァジュラバイラヴァが信仰を集めた。9面の顔に34本の腕、16本の脚を有する異形の姿を示す。複雑な形姿には破綻がなく、清朝の宮廷工房製とみられる。

大威徳金剛（ヤマーンタカ）画像

綿本着色　63.0×42.0cm　清時代·18世紀　故宮博物院蔵

ヤマーンタカとして信仰される仏のうち、最も強力とされるヴァジュラバイラヴァとその妃を描く。清朝下で隆盛を誇ったゲルク派でとりわけ尊崇を集めた。上方中央には、その開祖ツォンカパを表わす。チベット仏教では、こうして抱擁する男女の尊像を父母仏（ヤブユム）と呼び、ここから仏たちが生まれると考えられた。

◀ **乾隆帝文殊菩薩画像**

綿本着色　108.0×63.0cm　清時代·乾隆年間（1736～95）

故宮博物院蔵

乾隆帝は、しばしば自身を文殊菩薩の化身として描かせた。右手に執る蓮茎の先には文殊を象徴する剣と経典を表わし、左手には理想的な帝王である転輪聖王を意味する法輪を乗せる。本作は、多数の仏が表わされた樹木をモチーフとするツォクシン（集会樹）の形式を採用し、仏法の正統的な継承者であることを示す。河北省承徳の普寧寺に伝来した。

すべて故宮博物院提供

蓮池花盆形花蝶七宝飾時計

七宝　径49.0×高122.0㎝

清時代・18世紀　故宮博物院蔵

清の造弁処で、皇帝や皇后の長寿を祝って製作された機械時計。花蝶文を七宝で表わした花盆（植木鉢）にガラス鏡の水面を張り、蓮の花葉と水鳥の作物を配する。特定の時間になると、オルゴールの音楽が鳴り、水鳥が泳ぎ、蓮花が開いて西王母・白猿・童子が現れて、西王母に白猿と童子が仙桃を献上する情景が演じられる。

故宮博物院提供

欽定四庫全書　皇朝禮器圖式　巻三

自鳴鐘　謹按

本朝製自鳴鐘鑄金為之中承以柱下為方匱面設
表盤均十二分上起子午正右旋一日再周以短
針指時長針指刻起丑未初鐘一鳴盡子午正十
二鳴其初正自一鳴至四鳴各四刻匱內藏鋼輪
三重中為大輪四軸上間小輪三聯之以旋時刻
針左為大輪三軸上間小輪二聯之旁大輪一綰
擊具以擊鐘知時右亦如之以擊鐘知刻三重皆

自鳴鐘

『皇朝礼器図式』自鳴鐘図

個人蔵

本書は、乾隆年間に編纂された清朝の礼典。祭器・儀器・冠服・楽器・鹵簿・武備について図解しており、清の宮廷を理解するうえで不可欠なものである。儀器のなかには、たとえば中国の伝統的な漏刻（水時計）から西洋に学んだ自鳴鐘（機械時計）なども記載されている。

伝郎世寧「閻相師像」

絹本着色　187.4×96.2 cm

清・乾隆25年（1760）　大和文華館蔵

乾隆帝は、準部・回部（現在の新疆ウイグル自治区）平定ののち、功のあった臣下百名の肖像を紫禁城西苑の紫光閣に掛けて顕彰した。閻相師（1691～1762）もその１人。容貌は、陰影をはっきりつけて立体感を強調した西洋画法で表わされ、その上には、額に石を受けても動じなかったという武勇伝が、漢字と満洲文字で記される。一つの作品のなかに多文化融合が見られる、清代ならではの肖像画である。

郎世寧（ジュゼッペ・カスティリオーネ）の活躍

ジュゼッペ・カスティリオーネ（一六八八～一七六六）はイタリアのミラノに生まれた。少年の頃から絵画工房で修業を積み、長じてイエズス会に入会、康熙五十四年（一七一五）に宣教師として北京にわたり、イエズス会の勢力拡大のため、郎世寧として清の宮廷に入る。中国におけるカトリック布教活動自体は、康熙朝末期から低調になり、雍正帝（一六七八～一七三五）によって完全に禁止されるが、専門技能をもつ西洋人は依然として宮廷で珍重され、それぞれの分野で精力的に活動した。郎世寧は、西洋人画家の筆頭として、西洋由来の明暗法・遠近法を駆使してさまざまな画題を手掛け、皇帝の寵愛を受けて宮廷画壇に強い影響を及ぼしたのである。五十年を超える長きにわたって清に仕えたのち、ついに帰国することなく北京に没した。

中国の美術をもっと知るためのブックガイド

全体

『世界美術大全集』東洋編 1 〜 9　小学館 1997 〜 2000 年
『故宮博物院』1 〜 15　日本放送出版協会 1998 〜 1999 年
東京国立博物館編『東洋美術 100 選』　東京国立博物館運営協力会 2008 年
板倉聖哲、伊藤郁太郎『台北 國立故宮博物院を極める』新潮社 2009 年
『日中国交正常化 40 周年・東京国立博物館 140 周年　特別展　北京故宮博物院 200 選』図録
朝日新聞社、NHK、NHK プロモーション 2012 年
『特別展　台北國立故宮博物院　神品至宝』図録　NHK プロモーション 2014 年
『中国文化事典』　丸善出版 2017 年

書画

『書道全集』1 〜 26・別 1・別 2　平凡社 1954 〜 1968 年
『カルチュア版世界の美術 10　中国の名画』世界文化社 1977 年
『中国書法史を学ぶ人のために』　世界思想社 2002 年
『決定版　中国書道史』　芸術新聞社 2009 年
関西中国書画コレクション研究会『中国書画探訪』　二玄社 2011 年
東京国立博物館・台東区立書道博物館編『清朝書画コレクションの諸相』図録　台東区芸術文化財団 2021 年

青銅器

小南一郎『古代中国　天命と青銅器』（学術選書 14 シリーズ諸文明の起源 5）　京都大学学術出版会 2006 年
岡村秀典『中国文明　農業と礼制の考古学』（学術選書 36 シリーズ諸文明の起源 5）　京都大学学術出版会 2008 年
佐藤信弥『周―理想化された古代王朝』　中央公論社（中公新書 2396）2016 年

宮廷美術

于倬雲編・田中淡訳『紫禁城宮殿』講談社 1984 年
『故宮博物院展　紫禁城の宮廷芸術』図録　西武美術館　朝日新聞社 1985 年
日中国交正常化 25 周年記念『北京故宮博物院展　紫禁城の后妃と宮廷芸術』図録　セゾン美術館 1997 年

多文化

『中国の洋風画　明末から清時代の絵画・版画・挿絵本』町田市立国際版画美術館 1995 年
田中公明『タンカの世界　チベット仏教美術入門』山川出版社 2001 年
田中公明『チベットの仏たち』方丈堂出版 2009 年
『聖地チベット　ポタラ宮と天空の至宝』図録　九州国立博物館ほか 2009 年
田中公明『図説　チベット密教』春秋社 2012 年

掲載作品索引

【あ】
亜醜父乙鼎　18
色ガラス燭台　81
雲龍緙絲藍色朝袍　15
雲龍透彫粉彩冠架　74
雲龍堆朱合子　68
閻相師像(伝郎世寧)　93
円明園海晏堂　87
温酒尊　25

【か】
快雪時晴帖(王羲之)　30
花瓶刺繍浅緑袍　78
紀泰山銘(唐玄宗)　16
歙渓蒼玉硯　76
行書三帖巻(米芾)　48
御製続纂秘殿珠林石渠宝笈玉冊　66
欽定重刻淳化閣帖　29
嵆康絶交書巻(趙孟頫)　50
鶏雛待飼図(李迪)　60
慶豊図巻(金昆・陳枚・孫祜・丁観鵬・程志道・呉桂)　65
玄宗皇帝玉冊　17
乾隆帝像　5
乾隆帝文殊菩薩画像　91
乾隆八旬万寿慶典図巻　10
黄州寒食詩巻(蘇軾)　44
光緒大婚図冊　12
紅白芙蓉図(李迪)　61
五馬図巻(李公麟)　54

【さ】
祭姪文稿巻(顔真卿)　38
雑書冊(董其昌)　52
三希堂法帖　28
山水人物牙彫小景(封岐)　83
山水人物犀角杯　82
自書告身帖巻(顔真卿)　42
七宝仏塔　88
鐘　19
瀟湘臥遊図巻(李氏)　56
松風閣詩巻(黄庭堅)　46
水仙金寿刺繍浅紫氅衣　79
西清古鑑　18,24
青磁楕円盆　67
清明上河図巻(張択端款)　65
石渠宝笈　28

【た】
大威徳金剛(ヤマーンタカ)画像　90
大威徳金剛(ヤマーンタカ)像　89
竹蝶刺繍菫色花盆底鞋　79
桃鳩図緙絲軸(沈子蕃)　70
饕餮文觚　21
饕餮文瓿　22

【は】
博古幽思軸　19
蟠螭文鎛　24
秘殿珠林続編　28
百子晬彫彩漆長方盆　84
琺瑯彩黄地芝蘭碗　75
墨蘭図巻(鄭思肖)　63

【ま】
瑪瑙石榴　80

【や】
鷹文玉圭　26

【ら】
雷文爵　21
羅漢図(劉松年)　62
蘭亭序巻　蘭亭八柱第一本(伝虞世南摹)　34
蘭亭八柱帖　29
龍涛七宝文具　77
臨董其昌臨柳公権書蘭亭詩巻
蘭亭八柱第八本(乾隆帝)　36
鱗文匜　23
鱗文盤　23
蓮池花盆形花蝶七宝飾時計　92

参考図版(掲載順)

清時代の最大版図　6
清時代の北京　6
真上から見た紫禁城　8
太和殿　8
太和殿宝座　8
天壇円丘　14
青銅器の種類と名称　20
養心門　72
三希堂　73
北海公園　永安寺白塔　86
『皇朝礼器図式』自鳴鐘図　92

「桃鳩図緙絲軸」より（本文 p.70掲載）

監修・執筆

富田　淳〈とみた・じゅん〉

1960年茨城県生まれ。筑波大学大学院博士課程芸術学研究科単位取得中退。1990年より東京国立博物館に勤務、列品管理課長、学芸研究部長、学芸企画部長を歴任。九州国立博物館副館長を経て、現在、東京国立博物館副館長。共著に『もっと知りたい書聖王羲之の世界』（東京美術、2013年）、『別冊太陽　王羲之と顔真卿』（平凡社、2019年）ほかがある。
執筆担当頁：2,4,17,66

執筆（五十音順）

市元　塁〈いちもと・るい〉

1978年兵庫県生まれ。滋賀県立大学大学院人間文化学研究課修士課程修了。2003年から草津市教育委員会、同年に九州国立博物館設立準備室、同博物館勤務を経て、2016年から東京国立博物館に勤務。近著に「北魏北辺地帯の六鈴付垂飾」『MUSEUM』694号（東京国立博物館、2021年）、「漢三国考古備忘録」『尋踪三国―文物里的魏蜀呉新図景』（中信出版集団、2021年）ほかがある。
執筆担当頁：18-26

猪熊兼樹〈いのくま・かねき〉

1973年京都府生まれ。関西学院大学大学院博士後期課程単位取得退学。九州国立博物館研究員、東京国立博物館主任研究員、文化庁文化財調査官を経て、現在、東京国立博物館特別展室長。著書に『宮廷物質文化史』（中央公論美術出版、2017年）、論文「清朝の礼制文化」『北京故宮博物院200選』（東京国立博物館、2012年）ほかがある。
執筆担当頁：6-10,12-15,17(コラム),67-70,72-84,86-87,92

植松瑞希〈うえまつ・みずき〉

1982年東京都生まれ。東京大学大学院博士課程単位取得中退。2011年より大和文華館、2016年より東京国立博物館に勤務、現在、学芸研究部主任研究員。共著に『清朝書画コレクションの諸相』（台東区立書道博物館、2021年）、「乾隆帝と「清明上河図」―沈源「清明上河図」を中心に」（『「清明上河図」と徽宗の時代』勉誠出版、2011年）ほかがある。
執筆担当頁：54-65,93

西木政統〈にしき・まさのり〉

1986年滋賀県生まれ。慶應義塾大学大学院博士課程修了（美学博士）。2014年より東京国立博物館アソシエイトフェロー、2017年より同研究員。現在、文化財活用センター企画担当主任研究員。近著に「東京国立博物館所蔵の如意輪観音菩薩坐像と檀像表現」『MUSEUM』683号（東京国立博物館、2019年）、特集展示リーフレット『チベット仏教の美術―皇帝も愛した神秘の美―』（東京国立博物館、2022年）ほかがある。
執筆担当頁：88-91

六人部克典〈むとべ・かつのり〉

1984年京都府生まれ。筑波大学大学院人間総合科学研究科博士前期課程修了。2009年より台東区立書道博物館専門員、2014年より東京国立博物館アソシエイトフェロー、2018年より同研究員。現在、学芸研究部東洋室。共著に『別冊太陽　王羲之と顔真卿』（平凡社、2019年）、『清朝書画コレクションの諸相―中村不折・高島槐安収集品を中心に―』（公益財団法人台東区芸術文化財団、2021年）ほかがある。
執筆担当頁：16,28-53

写真提供・協力

猪熊兼樹／大阪市立美術館／國立故宮博物院／故宮博物院／泉屋博古館／台東区立書道博物館／DNPアートコミュニケーションズ／東京国立博物館／東洋文庫／奈良国立博物館／PPS通信社／大和文華館

[p.5,9上] Alamy/PPS通信社

[p.9下,72] Tao Images/PPS通信社

[p.16,22,56-59,61下,65下,81,82] photo: ColBase（https://colbase.nich.go.jp/）

[p.18中下,21,23-25,29右,48-49,54-55] Image: TNM Image Archives

編集協力

田中　亮

本文・カバーデザイン

山田　泰

シリーズタイトルデザイン

幅　雅臣

アート・ビギナーズ・コレクション

もっと知りたい 中国の美術

2022年10月30日　初版第１刷発行

監修・著　富田　淳

発行者　永澤順司

発行所　株式会社東京美術

〒170-0011

東京都豊島区池袋本町3-31-15

電話　03(5391)9031

FAX 03(3982)3295

https://www.tokyo-bijutsu.co.jp

印刷・製本　シナノ印刷株式会社

乱丁・落丁はお取り替えいたします。
定価はカバーに表示しています。

ISBN978-4-8087-1242-6 C0070

紫禁城平面図

紫禁城は、一四二一年の南京から北京への帝都遷更以降、清王朝の滅亡までの約五百年間、宮廷として使われた。一九一一年に辛亥革命が起き、一九一二年に宣統帝溥儀は退位したが、溥儀とその一族は紫禁城の内廷での居住を許された。しかし、一九二四年に溥儀一族が退去させられると、一九二五年に紫禁城は故宮博物院として一般公開された。一九八七年にはユネスコの世界遺産に登録されている。

敷地は南北九六一メートル、東西七五三メートル、面積は七二ヘクタールあり、九八〇あまりの建物がある。城壁の高さは一二メートルほど、周囲は幅五二メートルの濠が囲んでいる。紫禁城は、大きく南側の外朝、北側の内廷に二分され、外朝は儀礼や政治など公式の場、内廷は皇帝をはじめ皇族の生活空間となっていた。

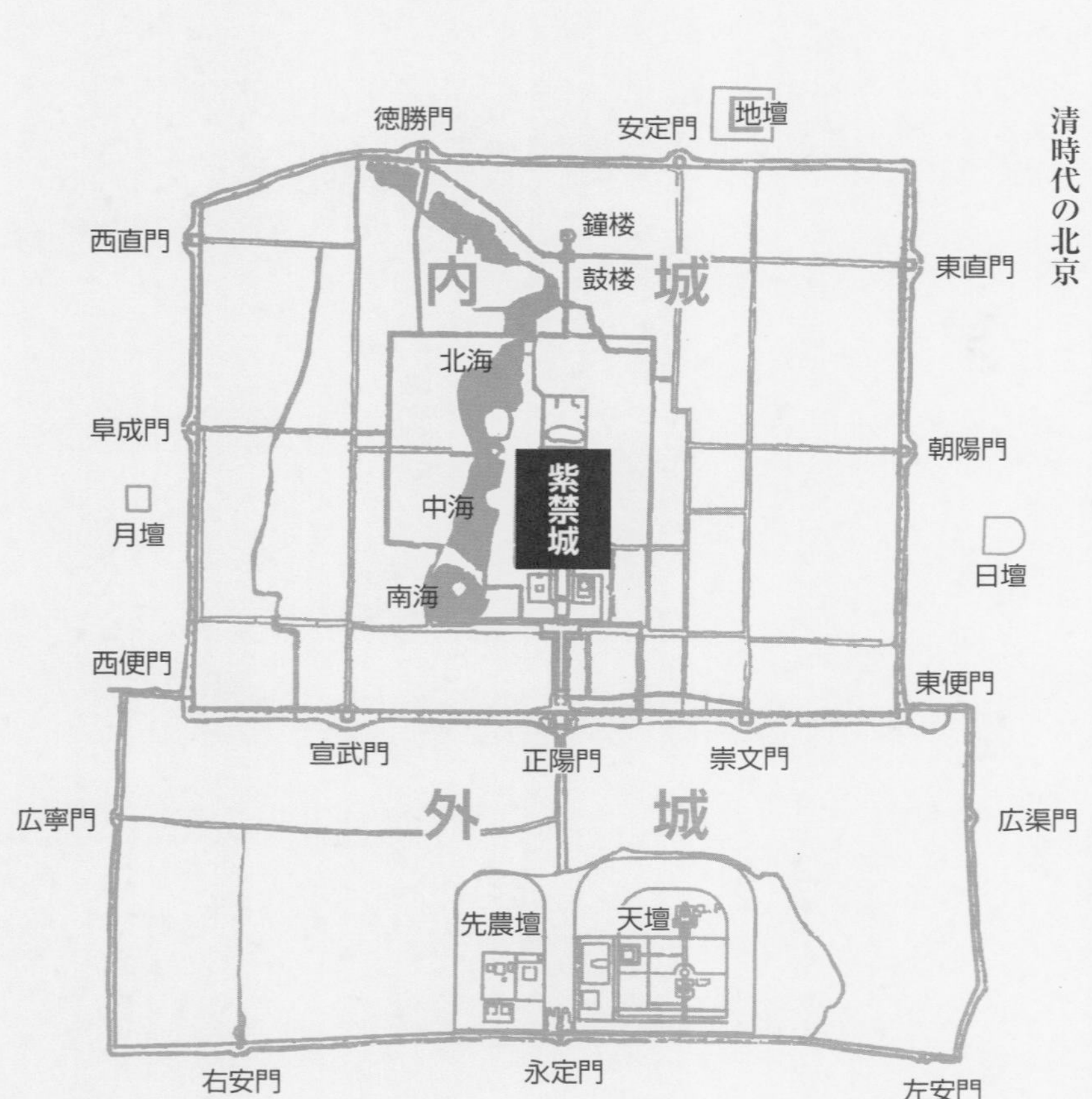

清時代の北京